MAIGRIR

Partager
ses émotions
et non
les **manger** !

Judi Hollis Ph. D.

MAIGRIR

**Partager
ses** émotions
**et non
les manger** !

Traduit par Sophie Barets

BÉLIVEAU
★
é d i t e u r

Ce livre a été originellement publié aux États-Unis,
par Hazelden Foundation sous le titre :
FAT IS A FAMILY AFFAIR
© 1985, Judi Hollis, Ph.D.

Conception et réalisation de la couverture : Jean-François Szakacs
Illustration de la couverture : iStockphoto

Tous droits réservés pour l'édition française au Canada
© 1992, Éditions Sciences et Culture Inc.

Dépôt légal : 1er trimestre 2014
Bibliothèque et Archives nationales du Québec
Bibliothèque et Archives Canada

ISBN 978-2-89092-638-7

BÉLIVEAU
—————★—————
é d i t e u r

920, rue Jean-Neveu
Longueuil (QUÉBEC) Canada J4G 2M1
Tél. : 514 253-0403 / 450 679-1933 Téléc. : 450 679-6648

www.beliveauediteur.com
admin@beliveauediteur.com

Gouvernement du Québec – Programme de crédit d'impôt pour l'édition de
livres – Gestion SODEC – www.sodec.gouv.qc.ca.

Nous reconnaissons l'aide financière du gouvernement du Canada par l'entremise du Fonds du livre du Canada pour nos activités d'édition.

IMPRIMÉ AU CANADA

TABLE DES MATIÈRES

REMERCIEMENTS

YVES LUC BOLOMET, MON ÉDITEUR AMÉRICAIN, MON compagnon, mon meilleur ami et mon gourou, est aussi le «prince charmant» que je n'aurais pas escompté dans ma jeunesse. Je lui dois de m'avoir appris la justice, le respect et l'amour.

Dans l'exercice de ma profession, je suis redevable à William Ofman, Ph.D., qui m'a appris la confiance en l'honnêteté, à Walter Kemplar, M.D., qui m'a montré comment faire progresser les familles sur le chemin de l'intimité, et à Bill Rader, M.D., qui, au fil d'associations longues et diverses, m'a enseigné la sagesse de «suivre son instinct».

Je repense aussi, avec gratitude et joie, aux innombrables patients et conseillers qui m'ont permis de partager l'espoir de leur guérison. L'autorisation de pénétrer dans leur vie a été pour moi un très grand privilège. Je remercie aussi mon père, Gilbert Stockman, qui souhaitait que je me réalise pleinement, ainsi que ma mère, Rebecca, qui m'en a donné la force. Ma reconnaissance s'adresse également à Elaine Goodrich qui fut à l'écoute de ma voix intérieure, jusqu'à ce que je sois en mesure de l'entendre moi-même. Je remercie enfin Dieu pour les Douze Étapes.

INTRODUCTION

« Notre embonpoint est à la mesure
de notre malhonnêteté. »

LA RAISON D'ÊTRE DE CE LIVRE EST QUE NOUS AVONS
tous vécu avec une personne malhonnête qui a cherché à survivre en caressant ses illusions. Pour obtenir amour et admiration, nous avons adopté une personnalité «caméléon». Cela nous
a permis de nous métamorphoser au gré d'autrui, quitte à perdre
notre véritable identité. Quand notre vraie personnalité criait
pour se faire entendre, nous l'avons étouffée sous la nourriture.
La guérison des troubles alimentaires passe donc par la découverte du chemin merveilleux qui mène au moi authentique. Malheureusement, nous sommes presque tous incapables de trouver
seuls cette voie personnelle. Qu'un bon petit plat apparaisse et
nous voilà aveugles à tout le reste. Il est plus facile d'emprunter
les sentiers battus, même lorsqu'ils sont cahoteux, que d'explorer
des territoires inconnus.

Nos proches encouragent nos mensonges ; ils peuvent ainsi
vivre les leurs. Tant que nous mangeons, nous restons sourds à la
voix intérieure qui nous répète: «Quelque chose cloche dans ma
vie. »

Quand je pesais plus de 100 kilos, j'étais une brillante thérapeute. L'idée que mon surpoids était lié à mon mode de vie ne
m'effleurait même pas. Je me faisais l'impression d'être une
femme quasiment parfaite, au seul détail près de mon embon-

point: un léger amaigrissement suffirait pour parvenir à la perfection. Maintes fois auparavant – tant à l'université où je me nourrissais de pilules qu'à l'occasion d'innombrables régimes chez les *Weight Watchers* –, j'avais réussi à perdre des dizaines de kilos, retrouvant chaque fois un corps superbe sans toutefois rien changer à ma personnalité. En dépit de ma prétendue assurance, je me sentais mal dans ma peau, incapable de profiter de la vie et de supporter le stress lié au succès. Insidieusement, les kilos revenaient toujours.

La dernière fois, cependant, a été différente. Je n'ai pas repris de poids depuis plusieurs années. Je me suis débarrassée de ce besoin enfantin d'appeler à l'aide et, de plus, j'ai découvert en moi une personnalité adulte, authentique, sensible et sage. Pour grandir sans l'aide de la nourriture, il m'a d'abord fallu renaître et revivre mon enfance. À terme, il en a résulté une redéfinition de toutes mes relations dans la vie et une nouvelle personnalité ouverte sur la réussite.

Pour guérir nos troubles alimentaires, nous devons donner naissance à notre moi authentique, favoriser son expression et l'intégrer à notre nouvelle vie. Cet outil thérapeutique, efficace et durable, s'enseigne dans les réunions des «Outremangeurs Anonymes», alors que cet ouvrage, par son programme et ses suggestions, vous livrera la clé qui permet de «**dialoguer pour guérir**».

Le corps ne ment pas. Le mental peut nous berner et nous faire accepter l'inacceptable, mais le corps déformé montre clairement le décalage qui s'instaure par rapport au moi véritable. Notre culture nous apprend à accepter ou à rejeter des critères qui ne nous conviennent pas. Comment se sentir à l'aise dans une taille 14 lorsque les impératifs de la mode imposent le 6? Généralement, on se laisse glisser vers le 24 avant de jeter l'éponge... Au lieu de prendre des risques et de rechercher l'intimité, on mange! Pour modifier son physique, on doit d'abord changer ses relations avec autrui. Que l'on fasse bombance, que l'on se prive à l'excès ou que l'on se force à vomir, tout trouble alimentaire est à la fois symbole et symptôme de notre relation au monde: c'est le point commun qui unit aussi bien les gros mangeurs que les anorexiques. Qu'il souffre d'une insuffisance de 20 kilos ou d'un excédent de 130 kilos, qu'il lutte en vain depuis des années pour perdre quelques kilos, chaque malade doit faire face aux mêmes problèmes de contrôle et de vulnérabilité.

Comment se faire plaisir sans mettre en jeu sa vulnérabilité? Manger est le seul moyen d'y parvenir. Toujours disponible, la nourriture procure une satisfaction solitaire. Elle n'exige nulle contrepartie: ni qu'on lui parle pour la distraire ni qu'on se pomponne pour la séduire. Nos proches, quant à eux, sont loin d'être aussi prévisibles ou accommodants. Ils attendent parfois trop de nous. Aussi, pour éviter le risque d'une désunion douloureuse, nous privilégions la tranquille sécurité qu'offre la nourriture. Mais, un jour ou l'autre, celle-ci échappe aussi à notre contrôle et nous devons y renoncer pour revenir vers les autres, ce qui affecte profondément la vie de tous. Ce livre les concerne donc autant que vous.

Redéfinir ses relations avec autrui est bien plus ardu que de jeûner; cette nouvelle expérience pourra vous rebuter. Mais vous avez appris à vos dépens que les recettes-miracles n'existent pas: votre bibliothèque regorge de livres vantant des régimes express. La question, pour vous, est désormais la suivante: «Suis-je de nouveau à la recherche d'une solution-miracle, ou ai-je acquis la ferme détermination d'en finir une fois pour toutes, quel qu'en soit le prix?» C'est un choix personnel et simple. Rien ne vous oblige à vous en soucier. Mais sachez que tôt ou tard votre refus de grandir vous attendra au tournant.

Cacher son véritable moi conduit à l'irresponsabilité envers soi-même et envers autrui. Un gros bouffon n'impressionne personne et, à force d'échouer, on ne vous fera plus crédit. Vous-même aurez perdu tout espoir. Savoir se prendre au sérieux et obtenir le respect de soi ou d'autrui: tel est l'objet de ce livre. C'est votre vie qui est en jeu. Vous n'avez rien à perdre, sauf quelques kilos.

*

En soumettant le manuscrit de ce livre à divers éditeurs, j'ai essuyé de nombreux refus, critiquant ma «démarche trop sérieuse». En voici quelques exemples:

> *« Excellente idée d'ouvrage et essai très sérieux. Mais je crois que le public, dans sa majorité, cherche surtout de nouveaux régimes, rapides et efficaces. Bien qu'un livre visant à modifier le comportement de la famille et/ou de l'entourage se justifie parfaitement, je ne pense pas qu'il puisse jouer un rôle au sein de la concurrence. »*

> *« Mon expérience des ouvrages traitant des troubles alimentaires m'a appris que plus ils sont sérieux, moins ils se vendent, et que ceux qui ne proposent aucun régime ne se vendent pas du tout. »*

> *« Comme nous le savons tous, malheureusement, en matière de régimes, seuls se vendent les "diètes-miracles" qui offrent au public ce qu'il désire sans égard pour sa santé. »*

> *« Maigrir n'est* **pas** *un livre sur les régimes. De plus, il demande quantité d'efforts et de temps de la part du patient comme de son entourage. En d'autres termes, il exige trop de travail. »*

Je suis fière des critiques de mes détracteurs que je considère comme autant de compliments. Et si ces raisons ont réellement présidé au rejet de mon manuscrit, je vous les offre à vous, cher lecteur, en hommage à la difficile tâche à laquelle vous avez choisi de vous atteler. Souvenez-vous que, comme l'affirme la sagesse populaire: «Qui ne risque rien n'a rien...».

– Judi HOLLIS, Ph.D.

La prise de poids

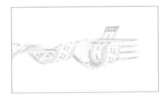

1

DIALOGUER
POUR GUÉRIR

JE NE SUIS PARVENUE À UNE RÉELLE MINCEUR QU'EN
acceptant de grandir et de devenir adulte.

J'avais déjà perdu du poids, mais je n'avais jamais grandi!
J'avais été mariée puis divorcée, mais j'étais toujours à la recherche d'un «papa» pour me stabiliser. Pendant toutes ces années où
mon poids ne cessa de faire le yo-yo, je fus incapable de trouver
mon indépendance affective. Mon sens des responsabilités était
erroné. J'essayais de prouver ma valeur en aidant les autres alors
que j'étais incapable de me soigner, moi! Je dévorais.

Ma vie ressemblait à une ébauche inachevée. Ce fut une des
causes qui me poussa à embrasser ma carrière de thérapeute.
J'espérais comprendre les raisons qui me faisaient manger anar-
chiquement et mettre ainsi un terme à mes boulimies. La vraie
vie commencerait le jour où je parviendrais à la minceur. En me
dévouant pour les autres, j'espérais aussi favoriser ma propre
guérison. Comme par osmose. Mais ce fut un échec: aider les
autres m'épuisait, les thérapies me laissaient seule et désem-

parée. Résultat, en bonne boulimique, je mangeais. C'étaient les montagnes russes: grossir, maigrir, dévorer, jeûner, tantôt chercher à comprendre et tantôt renoncer à tout. Et pour finir, manger encore et encore!

Cette nourriture, qui occupait une place grandissante dans ma vie, ne m'empêcha pas de réussir une carrière dont le succès devait me permettre, pensais-je, d'occulter ma boulimie. À masquer ainsi le problème, j'espérais le faire disparaître. Mais plus je grossissais, plus mon «secret» s'affichait.

Je fis bientôt merveille dans le domaine de l'aide aux toxicomanes et alcooliques où, en tant que praticienne, je participais aux conférences internationales sur les problèmes de dépendance liés aux drogues et à l'alcool. Au moment de monter à la tribune, mon aspect physique me mettait à l'agonie. Pour dissimuler mes bourrelets, je tentais tous les subterfuges. Il m'arrivait même de m'empiffrer avant la conférence pour trouver la force de prendre la parole, quitte à roter en public comme cela se produisit une fois à la fin d'un discours!

Cependant, je n'avais pas que mes seules rondeurs à dissimuler. Je cachais aussi soigneusement que mon mari était alcoolique et que, en dépit de mes efforts, je ne parvenais pas à le soigner. Alors que j'étais devenue le soutien d'innombrables familles, ma vie intime était un carnage. Derrière une façade solide, mon édifice s'écroulait. Une seule chose me donnait encore la force de faire face: la nourriture.

Conseiller et aider les familles d'alcooliques était tâche aisée. Difficile de m'imaginer confrontée au même problème. Pensant que je jouissais d'un don inné, mes collègues s'extasiaient devant la qualité de mon travail en faveur des «intoxiqués». Aucun ne soupçonna jamais que je souffrais en fait de la même affection que mes patients. Aujourd'hui, j'ai compris que le désordre que je masquais, en me dévouant pour les autres, était principalement causé par la dissimulation de mes propres problèmes. Tout le monde minimisait la gravité de mon état. Comparés à l'alcoolisme, affection grave, voire mortelle, mes troubles n'étaient, de l'avis général, qu'un problème de volonté. Que je prenne mon courage à deux mains et je saurais m'en tirer pour passer à l'action. J'étais alors persuadée que la volonté me viendrait un jour, un lundi bien sûr, à la suite d'un week-end d'excès. Et je continuais, en tant que thérapeute, à adopter une attitude de fermeté pour mieux masquer le douloureux problème de mon obésité. Être une «madame-je-sais-tout» pour mes patients ne m'était d'aucune aide.

Jusqu'à un certain jour de septembre où, passant devant une vitrine, j'aperçus un reflet épouvantable dans la glace: une grosse bonne femme habillée de la même robe que moi. Cette vision me coupa le souffle et je restai interdite, hypnotisée par cette image, tandis qu'au fond de moi une voix me murmurait: «Cette dame-là, dans le miroir, c'est toi!» J'étais paralysée. Pétrifiée à l'idée de m'être ainsi engagée dans la voie de l'auto-destruction d'une manière aussi fatale et incontrôlable que mes patients alcooliques. Que d'efforts pour dépasser les 100 kilos! Et je m'étais privée pour en arriver là! Car ma vie n'était qu'une alternance de brèves périodes de contrôle suivies d'atroces excès tenant lieu de récompense. Les dents serrées, la volonté inébranlable, je commençais toujours mes régimes par une abstinence frénétique. Mais, bientôt en proie à la douleur insoutenable du manque, je replongeais de nouveau, m'adonnant à mon unique réconfort.

J'avais vu des alcooliques remporter des victoires grâce au soutien des autres. J'avais travaillé pendant des années avec eux dans le cadre des Alcooliques Anonymes (AA) ou des Al-Anon. Il m'apparut soudain, avec l'évidence d'un postulat, que le traitement de la boulimie devait suivre un cours identique. La démarche serait plus ardue pour les mangeurs compulsifs qui se trouveraient chaque jour confrontés à la nourriture. Mais difficile ne veut pas dire impossible.

Cesser de manger de manière désordonnée: voilà la «mission impossible» que j'ai réalisée – ainsi que des milliers de patients –

grâce à la méthode décrite dans cet ouvrage. J'ai donc créé en milieu hospitalier des programmes pour soigner les boulimiques, les anorexiques et leurs familles. Chaque fois, le plus délicat a été de leur faire prendre conscience de la difficulté du traitement et de la nécessité d'une aide. Si nous pouvions nous en sortir seuls, n'y serions-nous pas déjà parvenus?

La guérison des troubles alimentaires implique que l'on cesse de se consoler avec les aliments pour trouver une autre forme de «nourriture» auprès des autres. À l'origine, mes patients étaient essentiellement des malades en traitement à l'hôpital ou en thérapie individuelle, mais ce ne sont pas les seules filières possibles. Le problème primordial passe par la reconnaissance de sa propre vulnérabilité. Dès qu'on se résout à demander de l'aide, on est déjà sur le chemin du rétablissement. Ayant constaté que, dans la grande majorité des cas, les Outremangeurs Anonymes obtiennent les meilleurs résultats, je vous propose, avec ce livre, de bien vouloir accepter leur aide. Vous constaterez que, au fil de l'évolution de votre personnalité, votre entourage s'adaptera au changement et aura aussi besoin d'aide. Il apprendra à demander assistance à autrui pour se décharger du fardeau du traitement.

Je vous entends déjà récriminer: «Mais ça va prendre un temps fou!» Pourtant, le temps n'est rien si les résultats sont durables; et je vous assure que, délivré à jamais des anciennes tentations, vous en ressentirez longtemps les effets. Même en mangeant moins, vous vous sentirez mieux qu'au cours de tous vos excès passés. Il n'est rien de pire que la boulimie.

Nous allons empoisonner votre nourriture. Vous ne pourrez plus vous alimenter comme par le passé. Vous deviendrez conscient de vos actes: tel est le point fondamental de ce programme de guérison. Jusqu'à présent la fausseté de vos rapports avec des êtres chers vous a aidé à nier et donc à rester obèse. Tant que la nourriture, ce fidèle soutien, subvenait à vos besoins, vous pouviez vous couper du reste du monde. En renonçant à la nourriture (c'est-à-dire à votre ancien comportement), vous tournerez le dos à cette attitude de défiance et vous apprendrez à vous «nourrir» des autres. En allant ainsi à la rencontre d'autrui, vos envies désordonnées de manger diminueront. En d'autres termes, plus que sur votre alimentation, nous vous ferons travailler sur vos relations. Ces besoins nouveaux affecteront tout votre entourage, et c'est à ce titre que cet ouvrage vous viendra en aide.

Durant le processus de guérison, on enregistre une modification des relations entre les «mangeurs compulsifs» (M.C.), et leurs codépendants. Ce livre vous enseignera donc à reconnaître les M.C., leurs codépendants et les liens qui les unissent. Un M.C. peut aussi bien être obèse que maigre: seule importe son attitude obsessionnelle face à l'alimentation. Proches parents ou amis lointains peuvent jouer le rôle de codépendants: le besoin d'aider est leur caractéristique. Mais, pour tous, seule l'instauration d'un nouveau type de relations permettra de conduire vers un rétablissement.

LA NOURRITURE, SUBSTITUT DE L'AMOUR

Il y a moins de risque à aimer la nourriture qu'à aimer son prochain. Cela semble fou? *Quel lien y a-t-il entre les deux?* vous demandez-vous. Pourtant, le rapport est évident: tous deux constituent nos plus tendres affections. En vérité, *manger est l'expérience la plus intime qui soit.* En ingérant un aliment, on introduit une substance étrangère en soi ou, mieux, on l'incorpore. Manger, c'est laisser l'«extérieur» pénétrer en soi, pour le mélanger à notre substance intime et fabriquer de nouvelles cellules. Après altération de la forme, la nourriture devient ainsi partie intégrante de nous-mêmes. Même lors d'un rapport sexuel, on ne parvient pas à une fusion aussi intime, à une union aussi totale. C'est la recherche de cette intimité parfaite qui nous pousse vers la nourriture, car, avec nos prochains, tout n'est pas si simple.

BÉBÉ VEUT SON BIBERON

Dans le ventre de votre mère, vous vous sentiez protégé. Impossible de savoir où commençait l'un et où finissait l'autre: c'était le domaine de la sécurité, de la vie sans effort. Il n'y avait jamais rien à réclamer: le monde anticipait vos désirs avant même qu'ils ne soient désirs. Le ventre plein, parfaitement à l'abri, vous ne pouviez même pas soupçonner qu'il puisse en être différemment.

Lorsque la naissance est venue mettre un terme à ce stade idyllique, il a bien fallu sortir et **vivre**! L'instant d'après, vous étiez un nouveau-né, faisant l'apprentissage de votre différenciation, partant à la découverte de votre corps. Vous avez ainsi appris au toucher la différence entre *vos* orteils et le berceau, objet *extérieur* au corps. Énorme différence! Vous avez aussi appris à reconnaître les diverses sensations *internes* de votre estomac, tantôt plein, tantôt vide. Dès que vous vous êtes senti le ventre creux – sensation désagréable –, vous avez pleuré et quelqu'un est venu tout arranger. Peut-être a-t-il fallu attendre quelques minutes, mais tôt ou tard maman est venue, le biberon à la main, prête à vous satisfaire. Vous vous êtes cependant interrogé: «Pourquoi une telle attente entre le moment où j'ai pris conscience de mon besoin et sa satisfaction? Pourquoi a-t-il fallu que je pleure? Comment expliquer que *toi*, maman, tu n'aies pas su ce dont j'avais besoin? Pourquoi cette différence entre mon corps et le reste du monde? Et ces retards odieux! Non, vraiment, je déteste tous les **efforts** nécessaires pour vivre ici! Quel sale boulot...»

MERCI BIEN, MAIS JE PRÉFÈRE ME DÉBROUILLER TOUT SEUL!

Après avoir ainsi fait très tôt l'expérience de l'effort et de la difficulté, vous avez décidé de vous tourner vers d'autres voies pour satisfaire vos besoins. Les autres sont si décevants. Réfléchissez un instant: comment voulez-vous que les autres agissent pour votre plus grand bien? Ils ont, eux aussi, leurs mauvais moments. Pire, ils ont leurs propres besoins à satisfaire. Surtout, ils ne vivent pas dans votre corps. Ils sont incapables d'anticiper vos désirs et de vous épargner l'effort de vous exprimer.

À vrai dire, en prenant la décision de développer un désordre alimentaire, vous avez fait preuve d'une certaine pertinence ; cela vous a sauvé de constats douloureux. En niant toute différence entre vous et les autres, vous avez pu nier la réalité: *les autres ne sont pas forcément à votre service.*

Incapable d'assumer cette prise de conscience, vous avez décidé de vous consoler sans l'aide des autres. Voilà le but de la boulimie. Lorsqu'on mange, on se sent parfaitement à l'abri, en toute sécurité. Grâce aux aliments dont on dispose à sa guise, chacun peut combler commodément sa «soif» d'affection. On achète, on prépare, on déguste: on se retrouve parfaitement autonome. On ne dépend plus de personne. On est seul avec la nourriture, indifférent à toute autre réalité, plein de la sensation de ne plus faire qu'un avec l'univers. Finie la cassure qui nous coupe du monde! Un mouvement perpétuel – acte d'une précision parfaite – s'instaure entre notre main et notre bouche... Le monde nous appartient.

Paradoxalement, l'anorexique qui refuse de s'alimenter atteint un niveau encore supérieur d'indépendance. Le discours de l'anorexique s'énonce comme suit: «Non content de ne pas avoir besoin de **vous**, je n'ai pas non plus besoin de **nourriture**. Je suis tellement indépendant, invincible, invulnérable et maître de moi que je me suffis de l'air du temps. Je n'éprouve aucun désir *humain* (dit d'un petit ton méprisant) et je m'assume complètement. *Je n'ai besoin de rien!*»

Ces deux démarches opposées se rejoignent. On a le sentiment de contrôler la situation et de se croire protégé de tout besoin d'amour. Pour éviter toute déception, vous transférez votre besoin d'affection en une histoire d'amour contre nature avec la nourriture. Une telle attitude n'a, en soi, rien de destructeur ni de problématique, sauf lorsqu'elle est poussée jusqu'à ses conséquences extrêmes. Même si votre cas est bénin, c'est votre relation perverse avec la nourriture qui fait de vous un M.C. Car vous l'utilisez pour éviter les rapports humains, pour pallier les risques inhérents à la vie. Grâce à ce livre, vous oserez jouer le jeu de la vie pour donner à la nourriture sa juste place.

Vous y découvrirez comment prendre le risque de vous montrer sous votre vrai jour, comment demander à vos proches de vous aider et la manière de formuler vos désirs. Trop souvent, vous n'avez mangé que pour vous donner de l'importance et gagner un «poids» psychologique. Avec la découverte de l'autonomie, vous n'aurez plus besoin de ce poids pour prouver que vous existez. Vous verrez que le seul moyen de vous libérer de l'obsession de la nourriture est de lui substituer une relation nouvelle et saine avec les autres. Comme un blessé qui s'aide de béquilles, les M.C. peuvent s'appuyer sur les autres et non plus sur la nourriture.

GRANDIR POUR CESSER DE MANGER

Pour l'anorexique comme pour l'obèse, la décision de nier son besoin d'autrui et de rechercher son réconfort dans la nourriture n'est qu'un subterfuge pour garder le contrôle et s'épargner une souffrance. L'obsession de la nourriture n'est que le moyen d'éviter de grandir et d'accepter le fait qu'*ils* ne peuvent pas tout régler à votre place. Peut-être le devraient-ils, mais *ils* en sont incapables: leur aide ne règle rien. Tel un enfant capricieux, vous avez vainement exigé qu'*ils* se comportent autrement: «*Ils* devraient être là à s'occuper de moi au lieu de chercher à me nuire!» Alors, puisqu'*ils* (maman, papa, l'époux, l'ami, le patron) ne savent pas y faire, vous avez cherché une potion magique qui comble et sécurise, avec l'illusion qu'elle serait toujours disponible pour tout régler. De peur de constater qu'on s'occupait mal de vous, vous avez préféré vous débrouiller tout seul.

C'est un mécanisme de survie. Peut-être avez-vous vécu une enfance livrée à vous-même, ou joué, par substitution, le rôle de parent... envers vos parents, comme c'est souvent le cas dans les familles d'alcooliques ou de toxicomanes. Face à des parents dépendants, incapables de s'occuper d'un enfant, celui-ci apprend à se débrouiller seul. Mais quelle que soit la cause, c'est en toute honnêteté que vous avez décidé de jeter votre dévolu sur la nourriture ou, au contraire, de vous affamer volontairement. (En général, les anorexiques commencent par connaître des problèmes de surpoids avant de chercher à contrôler le problème.) Au début, cette obsession alimentaire a fonctionné, puis elle s'est retournée contre vous. Aujourd'hui, il n'y a plus d'autre issue que de faire face à un double échec : la nourriture vous a trahi (vous ne la contrôlez plus), et les gens vous ont dupé (ils ne savent ni prévoir ni satisfaire vos désirs). Savoir admettre cet échec est un bon moyen de grandir. On vous a trompé, et alors ? Comment se fier encore aux autres, sachant qu'on est parfois trahi ? En apprenant à tirer le meilleur de chacun. Ce n'est pas compliqué : c'est apprendre ou recommencer à « s'empiffrer ». Mais en guérissant, vous gagnerez une maturité et une force nouvelles qui vous convaincront que, si vos proches peuvent aider, ils ne sont pas là pour tout résoudre.

En fait, les proches ont plus besoin d'aide que le M.C. lui-même. Vous apprendrez à reconnaître les « codépendants » d'anorexiques ou de boulimiques. Vous verrez à quel point on peut vouloir protéger ceux qu'on aime de ces douloureuses déceptions que l'on éprouve en grandissant. Si c'est votre cas, par un zèle excessif, vous avez sans doute contribué à leurs problèmes tout en vous nuisant. Le meilleur moyen de les aider est de commencer par vous aider vous-même. Vivre et faire face avec honnêteté est la voie de la guérison. Et si vous en avez parfois franchement « ras le bol » de jouer les secouristes, il faudra le dire et cesser de vous forcer.

Il est fondamental que parents et enfants coupent le cordon et rompent leur relation afin d'établir progressivement un lien nou-

veau. Tant que le père et/ou la mère se sentent exagérément responsables de leur progéniture, l'enfant reste incapable de grandir
et d'affronter la vie. Cette séparation ne dépend ni de l'âge ni de
l'éloignement géographique : c'est un attachement viscéral qui
doit être rompu. La survie est à ce prix. Parfois le transfert de
cette dépendance s'effectue vers le conjoint, et l'on se marie,
croyant que l'autre résoudra nos problèmes. Mais tant que le couple persistera à entretenir cette légende, l'obsession alimentaire
perdurera.

Pour réussir son entrée dans l'âge adulte, on sera conduit à
modifier la relation privilégiée entretenue avec la nourriture.
Principal objet de notre amour, l'alimentation nous sert autant de
soutien que de punition. Elle répond présent quand tout le reste
échoue, et nous permet de masquer nos désirs et d'éviter d'avoir
à affronter la vie. Et, surtout, elle aide à supporter le stress du
changement.

La nourriture semble donner une forte assise pour éviter de
dériver dans la vie ; mais, débarrassé de cette fallacieuse sécurité,
on gagnera d'autant plus de souplesse pour vivre les changements à venir.

LA NOURRITURE : UN FAUX-FUYANT

La nourriture sert de faux-fuyant pour éviter :

- de nous rendre compte qu'on a besoin d'autrui ;
- d'admettre qu'on ne transformera pas le monde à notre
  idée ;
- d'adopter une attitude responsable dans la vie ;
- de comprendre que, si nous le souhaitions sincèrement,
  nous pourrions vivre un bonheur sans nuages ;
- d'accepter le fait que, même si la vie est merveilleuse,
  nous connaîtrons toujours des mauvais jours ;
- de nous convaincre que *les autres* ne sont pas dans notre
  peau.

Nous devons donc apprendre à transformer une relation contre nature avec la nourriture en une relation enrichissante avec autrui. La nourriture n'est qu'un simple carburant pour faire tourner la machine pendant vingt-quatre heures. Ni amour, ni sexe, ni Dieu, ni rock n'roll. Juste de la nourriture!

Et vous, vous n'êtes que vous! Peut-être n'êtes-vous pas ce que vous ou les autres auriez souhaité, mais vous êtes indubitablement *quelqu'un*. C'est votre vie et vous devez la vivre sans laisser la nourriture vous empêcher de la réaliser pleinement. Ne vous noyez pas dans des discussions ésotériques sur votre valeur ou votre image personnelle. Qu'est-ce que cela a à voir? Quelle valeur? Une chaise, une table ont-elles une valeur? Leur seul intérêt est dans l'usage que nous en faisons. Avons-nous besoin d'une table? Ressentons-nous le besoin de vivre? La vie est bonne à prendre. Une fois débarrassés de l'obsession de la bouffe, nous serons enfin capables d'apprécier la vie nouvelle qui s'offrira à nous.

LA NOURRITURE : UNE PUNITION

Il se peut que vous ne puissiez profiter de la vie parce que vous êtes persuadé de mériter des châtiments. Êtes-vous sûr de ne pas confondre alimentation et punition? À l'aube de notre vie, nos mères ne se contentent pas de leur rôle de nourricières, mais elles se chargent également de notre insertion sociale. C'est maman qui enseigne l'adaptation à la culture et l'intégration à l'environnement. Comme l'écrit R.D. Laing, le célèbre psychiatre: «Des mères du XXe siècle engendrent des bébés de l'âge de Neanderthal: telle est l'origine de tous les processus de transgression.» À la naissance, nous possédons le même programme génétique et les mêmes potentialités que le bébé de l'âge de pierre. Cependant, notre société n'admettant guère les comportements préhistoriques, les mères ont pour tâche de nous apprendre à survivre dans cette culture du XXe siècle en réfrénant notre sauvagerie naturelle. Interdictions et frustration: notre volonté se heurte aux impératifs sociaux. Or, comme c'est la même personne qui nourrit et punit, on se trouve amené à confondre ces deux attitudes. Manger devient punition et récompense en même temps. À l'heure actuelle, il est souvent difficile de démêler l'un de l'autre. On croit parfois manger pour se réconforter, alors qu'en réalité on dévore pour se punir.

DIS-MOI COMMENT TU MANGES

La nourriture a donc été notre principal instrument de survie. Maintenant, pour bien nous connaître, il n'y a qu'à observer la manière dont nous mangeons. Comment nous voyons-nous? Telle une personne de qualité, assise afin de déguster en toute sérénité une agréable collation sur une nappe brodée en écoutant de la musique classique? Ou, au contraire, dans une voiture, au milieu des emballages et des papiers gras, avec des miettes coincées entre les sièges?

Que l'on engloutisse une pizza dont on a été obsédé toute la journée ou que l'on décide spontanément de se goinfrer dans la cuisine, toute alimentation prise avec une frénésie irrépressible trahit le mangeur compulsif. Une telle attitude dénote l'angoisse et l'incapacité à supporter les frustrations et le stress de la vie. Manger semble éloigner ce stress et aider à y faire face. Cette idée en fera peut-être renâcler certains qui s'imaginent solides, indépendants et parfaitement compétents. Ils refuseront d'admettre que leur boulimie puisse avoir un rapport avec le stress. Ils iront jusqu'à nier que, toute leur vie, ils se sont efforcés de montrer qu'ils «assuraient» et qu'ils savaient se gouverner.

Ce fut exactement mon cas. À mon poids maximum, je ne cessais de me dévouer pour des âmes en peine qui m'appelaient à l'aide. Comment imaginer que j'avais, moi aussi, besoin d'aide? La nourriture me gardait d'une pareille idée. Si vous voulez vraiment savoir à quel point vous avez besoin d'aide, arrêtez de dévorer! Sinon vous ne formulerez que des théories fumeuses n'ayant aucun rapport avec le vécu. J'étais persuadée que la découverte de la cause de mon comportement me donnerait un moyen de m'en sortir. Cette motivation fut à l'origine de mes études et de ma carrière. Et j'ai effectivement découvert maintes raisons. Mais certaines furent si traumatisantes que *je me jetai sur la nourriture pour oublier.* Comment réagir autrement? On ne peut comprendre les raisons de son comportement sans y avoir d'abord mis un terme. Ensuite, on observe ce qui en résulte. Une fois que l'on a cessé de manger de manière désordonnée et sans effort surhumain, on voit réapparaître la vie. En d'autres termes, une fois débarrassé de votre alimentation excessive et de votre obsession de la nourriture, vous verrez remonter automatiquement à la surface tout ce que vous avez voulu ensevelir de votre vie ou de votre personnalité.

Personnellement, je découvris que j'étais terrifiée à l'idée d'assumer les scénarios que je m'étais moi-même fixés. Pour mieux lutter contre mon comportement alimentaire, je dus diminuer le nombre de mes consultations. J'étais une droguée du travail, et la nourriture m'aidait à tenir le coup. Le prix à payer devint vite exorbitant. Plus j'accordais d'importance à l'abstinence, plus il m'apparaissait que ma vie devait changer. Cela entraîna une évolution, progressive mais profonde, de ma nouvelle personnalité affranchie du soutien de la nourriture. Je cessai de me punir et j'ai appris ainsi à savourer la vie.

Votre prétendue personnalité n'est que celle que vous vous êtes forgée *en mangeant*; vous êtes incapable d'imaginer ce que vous seriez sans cela. Mais, vous verrez, un être nouveau apparaîtra progressivement avec l'abandon de la nourriture. Vos amis et vos proches le constateront aussi.

MANGER POUR VIVRE OU VIVRE POUR MANGER

Si seule la faim vous pousse à manger, vous n'avez nul besoin d'examiner votre vie pour changer votre relation à la nourriture. À l'évidence, vous n'utilisez les aliments que pour faire fonctionner la machine; vous ne souffrez ni d'obsession ni de comportement anormal face au stress. C'est le cas de Samson, mon petit chien. Il passe ses journées à traîner, en toute sérénité. Il n'attend rien des autres. Il est heureux de son sort. Il est capable de ne pas toucher à son écuelle de toute la journée s'il n'a pas faim. Souvent, il en laisse la moitié qu'il revient finir plus tard. On rencontre des gens de cette sorte. Quand on insiste pour qu'ils se resservent, ils répondent: «Non, merci, je n'ai plus faim.»

Autrefois, cette réponse m'étonnait toujours. «Plus d'appétit? Mais c'est délicieux, pourtant! Comment peut-on repousser un plat à moitié entamé?» Ces gens-là se nourrissent comme mon chien. Ils exercent une fonction naturelle aussi simple que la respiration. Ils vous disent: «Je mange quand il le faut, sinon la nourriture m'importe assez peu.» Vous vous rendez compte? Des gens qui n'ont pas besoin de ce livre, des gens qui mangent seulement pour vivre...

Par contre, il y a tous ceux d'entre nous qui vivent pour manger. Si vous vous situez dans cette catégorie, manger ou penser à vos repas occupe une grande partie de votre temps. Votre vie est réglée en fonction de l'alimentation, même si souvent vous ne remarquez même plus que vous mangez: vous remplir l'estomac et vous sentir repu fait partie intégrante de votre vie. Cela vous permet de pallier les manques, notamment affectifs, que vous pourriez juger trop importants. Essayons d'inventorier ces manques que le processus de rétablissement vous poussera à combler autrement.

• La reconnaissance

Le jeune Rodney D. se plaint: «Personne ne me respecte.» C'est un obèse. Ailleurs, Ralphe K. se lamente qu'Alice G. refuse de l'écouter. C'est aussi un «gros». Très souvent, l'obèse se fait complice de ses détracteurs en étant le premier à se moquer de lui-même. Il n'en reste pas moins que la nourriture n'est qu'un moyen de calmer une rancœur. De nombreuses femmes grossissent peu après s'être mariées. Une fois passés les premiers feux de l'amour et l'excitation de la noce, la jeune épouse cesse d'être l'objet de constantes marques d'intérêt et d'affection; le mari ne fait plus sa cour avec autant d'ardeur que par le passé. Si toute son activité consiste à s'occuper de son intérieur sans en tirer de réelles satisfactions, elle peut être rapidement conduite à chercher un réconfort dans la nourriture. Il en sera de même pour le couple si la vie professionnelle ne donne pas de satisfaction.

Après la grossesse, les prises de poids excessives sont, dit-on, d'origine métabolique. Mais elles peuvent aussi venir du sentiment de ne pas être le centre d'intérêt. D'irréalistes espoirs de changement de vie fondés sur la maternité conduisent à la déception, voire même à la dépression. On cache souvent par le silence ces déprimes postnatales: les jeunes mères ont parfois le plus grand mal à admettre que la naissance de leur bébé n'est pas le grand événement tant attendu. Il est difficile d'en parler en toute franchise, alors qu'amis et parents ne cessent de s'extasier au-dessus du berceau. Comment se plaindre lorsque chacun évoque votre bonheur? De partout affluent les cadeaux et les souhaits pour le nouveau-né, mais qui se soucie de la mère? Étreindre son bébé dans ses bras est, croit-on, sa plus belle récompense. Mais qui l'entend gémir: «Oh, mon Dieu! À quoi ressembleront mes vingt années à venir? Que me reste-t-il?» La réponse la plus facile est toujours la même: «La nourriture.»

Lorsque la mère accepte joyeusement la naissance de son enfant, elle se consacre à son éducation. Mais, vingt ans plus tard, l'enfant s'apprête à quitter le foyer, et c'est toujours la même question: «Que me reste-t-il?» On a beaucoup disserté sur le syndrome du nid vide et le besoin de compensation des mères, mais on s'est peu intéressé à ce désir de reconnaissance. De même, pour traiter la ménopause, on prescrit des hormones alors que quelques marques de sympathie suffiraient à faire des miracles. Ce n'est pas un hasard si la plupart des femmes traitées pour alcoolisme sont âgées d'une quarantaine d'années. Et celles qui ne trouvent pas une consolation dans l'alcool deviennent boulimiques.

Au cours de votre parcours vers un rétablissement, vous apprendrez à identifier ce besoin de reconnaissance et à vous appuyer sur ceux qui savent vous congratuler et vous féliciter. Cependant, dans votre lutte contre l'excès alimentaire, vous connaîtrez des phases critiques où vous rechercherez les marques de sympathie et d'encouragement de tous et non pas seulement de une ou deux personnes. Prenez garde alors de ne pas chercher à «vous abreuver à une source tarie», en ayant parfois tendance à insister et à exiger des marques d'attention de la part de personnes incapables de vous les accorder. Ce serait de l'autodestruction. Ainsi, imaginez, par exemple, une mère dont la fille quitte le foyer et qui chercherait à obtenir des marques d'affection de celle-ci, alors que cette fille, de son côté, lutte pour parvenir à s'arracher au cocon familial. Ce serait se mettre en position d'échec. Car, pour briser ses liens, la fille a besoin, dans un premier temps, de se révolter et de tout envoyer promener avant de pouvoir exprimer sa reconnaissance. La mère doit donc chercher secours auprès d'autres mères. De même, la fille, ne pouvant guère obtenir de soutien auprès de sa maman au moment où elle s'en sépare, doit se tourner vers des amies de son âge, mieux aptes à comprendre son action.

J'ai moi-même éprouvé ce désir de reconnaissance dans ma carrière après avoir collaboré avec mon maître, un célèbre psychiatre qui exerça une profonde influence sur ma vie. J'aspirais à son respect et à la reconnaissance de mes mérites tout en ressentant, dans le même temps, le besoin d'évoluer professionnellement pour quitter son aile protectrice. De son côté, il souhaitait également recevoir une reconnaissance pour l'enseignement qu'il m'avait prodigué. Nous nous sommes retrouvés tous deux, à la fois forts et en manque, et, dans cette incapacité à nous aider mutuellement, nous dûmes trouver ailleurs un soutien au moment de notre séparation. En ce qui me concerne, j'avais le choix entre trouver de nouveaux supporteurs ou replonger dans les excès alimentaires.

• *Affronter les situations nouvelles*

Changements et nouveauté effrayent. Aussi, au lieu d'admettre et de surmonter le malaise inhérent aux situations nouvelles, nombre d'entre nous jouent les mousquetaires et affrontent les situations imprévues avec une fourchette et un couteau en guise d'épée. C'est cela ou ressentir les menaces et les défis de l'inconnu. Lors d'une fête vous pourriez accepter l'épouvantable timidité qui vous prend à chaque nouvelle rencontre au lieu de vous planter devant le buffet en jouant les boute-en-train.

Désormais, il vous faudra apprendre à ralentir et à attendre. Au travail, cela veut dire prendre du recul et réfléchir avant de chercher à briller et devoir vous réconforter à la cafétéria. Vous avez raison de vous méfier, voire même de ressentir une légère appréhension face à la nouveauté; mais, pour faire passer cette peur, vous ne devez pas vous la dissimuler. La nier, c'est régresser. Cela est d'autant plus vrai si vous êtes confronté à une amélioration de votre situation. Les changements positifs sont les plus difficiles à surmonter.

• *La détente*

Le plus souvent, manger correspond à un moyen de se détendre et de mettre un frein aux tensions de la vie quotidienne. Au travail, personne ne trouve rien à redire à une pause café, mais réclamer un quart d'heure de méditation et de tranquillité paraît invraisemblable. Alors, vous mangez. Angoisse, travail et nourriture sont fortement liés. Souvent la crainte de paraître peu sociable vous ôte le désir de vous accorder quelques instants de calme et de solitude.

En fait, il est nécessaire de se couper des autres pour se recentrer et écouter sa voix intérieure. Écoutez cette voix, sinon elle finira par réclamer de la nourriture.

• *L'habitude*

La nourriture, parfois, n'est qu'une simple habitude, une idée reçue et souvent efficace, pour répondre aux divers aléas de la vie. Quand midi sonne, avec ou sans appétit, on s'apprête à manger. De même, certaines occasions sont liées au souvenir nostalgique de plats précis. Il est rare qu'on se pose la question à savoir si on prend de la dinde à Noël ou des œufs au petit-déjeuner. Exercez-vous vraiment votre libre choix ou mangez-vous par simple habitude?

Parfois, aussi, certains amis suscitent en nous des fringales précises. Ainsi, avec Jennifer, une amie, nous avions l'habitude de nous téléphoner pour demander: «Et si on se faisait une orgie?» Cela signifiait faire la tournée des pâtisseries pour s'empiffrer de sucreries jusqu'à en être malades. Durant tout le temps de ma «convalescence», j'eus beaucoup de mal à la fréquenter sans succomber à nos anciennes habitudes. Il nous fallut apprendre à bâtir une nouvelle relation, sous peine de mettre un terme à notre longue amitié.

• *La sexualité*

N'avez-vous jamais employé le mot *jouissance* en évoquant un énorme *sundae* dégoulinant de chocolat? Dévorer une crème glacée ou déguster une succulente pâtisserie peut devenir une sublimation de l'énergie sexuelle. Avec les récents changements liés à l'émancipation féminine, de nombreuses femmes se plaignent d'avoir plus de désir sexuel que leurs partenaires mâles. Dans une culture traditionnellement fondée sur la domination des hommes et la douce soumission féminine, une telle attitude est dérangeante. De nombreuses femmes, confrontées à ce sentiment de culpabilité, ont donc choisi de se laisser grossir pour réfréner leur désir sexuel. Leurs maris peuvent ainsi arguer de cette obésité pour justifier leur manque de motivation. Lorsque leurs épouses maigrissent, la perte de poids inquiète ces maris désormais privés d'alibi; les rapports du couple doivent être redéfinis.

Lorsque manger cesse d'être une évasion possible, on retrouve parfois un important regain de désir sexuel. Il ne faut pas s'en effrayer mais accepter ce que vous tentiez de refouler par la nourriture.

- ## *L'esprit de compétition*

Nous dépensons quantité d'énergie à créer et à développer nos entreprises. Mais, souvent, ces pulsions peuvent nous conduire à notre perte. À vouloir accomplir des exploits ou à tenter de réaliser l'irréalisable, on se retrouve avec le besoin de se calmer et de se détendre en grignotant une friandise ou un sac de *chips*. Ces aliments, croustillants et croquants, ne sont qu'un substitut pour exprimer notre fureur. Ils nous permettent de déchirer à pleines dents notre satané perfectionnisme. En vous soignant, vous apprendrez d'autres manières de passer votre rage sans pour cela vous détruire.

- ## *Faire face*

Devant toute difficulté, votre assiette a été votre principal système de défense. On ne vous a jamais appris les véritables instruments de survie. Vos réponses sont inadéquates pour «faire face» aux aléas de la vie, tant pour assouvir votre besoin de satisfaire et de manipuler les autres que pour compenser votre sentiment d'inadaptation ou de faible estime de soi.

Sur le chemin du rétablissement, vous découvrirez une forme d'autoacceptation qui vous fera prendre conscience des justes limites de toute réalisation: faire de son mieux, chercher à s'améliorer et ne pas prétendre à la perfection. Vous serez ainsi à même de vivre en répondant aux attentes de vos proches comme de vous-même.

L'UTILISATION DE LA NOURRITURE POUR «FAIRE FACE» TRADUIT UN TROUBLE DE L'ALIMENTATION

Si la nourriture est pour vous un moyen d'affronter la vie, vous souffrez probablement de cette maladie récemment découverte : vous êtes un mangeur compulsif (M.C.). Le chapitre suivant vous permettra de préciser le diagnostic, mais, pour l'instant, grâce à ce questionnaire, vous allez pouvoir procéder à une première évaluation.

Êtes-vous un M.C.? Êtes-vous obsédé par les problèmes d'alimentation et de régime? Que vous soyez gros ou mince, la nourriture a-t-elle pris une place déraisonnable dans votre vie jusqu'à vous imposer sa loi, tant psychologiquement que physiquement?

LE TEST DU MANGEUR COMPULSIF

	OUI	NON
◦ Vous sentez-vous coupable de manger ?	X	
◦ Êtes-vous enclin à absorber de grandes quantités de « cochonneries » ?	X	
◦ Dissimulez-vous de la nourriture ou vous cachez-vous pour manger ?	X	
◦ Mangez-vous jusqu'à la nausée ou au vomissement ?	X	
◦ La nourriture vous dégoûte-t-elle parfois ?	X	
◦ Aimez-vous faire la cuisine, même si ce n'est pas pour vous ?	X	
◦ Vous êtes-vous déjà forcé à vomir ?	X	
◦ Utilisez-vous des laxatifs pour contrôler votre poids ?		X
◦ Vous pesez-vous plus d'une fois par semaine ?		X
◦ Vous êtes-vous déjà senti incapable de vous arrêter de manger ?	X	

	OUI	NON
° Vous êtes-vous déjà senti incapable de vous arrêter de manger ?	X	
° Avez-vous tenté de jeûner pour contrôler votre poids ?	X	
° Avez-vous conscience d'une anormalité ou d'une gêne causées par votre façon de manger ?	X	
° Mangez-vous jusqu'à en avoir « mal à l'estomac » ?	X	
° Vous assoupissez-vous après avoir mangé ?	X	
° Des occasions particulières nécessitent-elles une nourriture précise ?	X	
° Avez-vous déjà perdu plus de 25 kilos dans votre vie ?		X
° Un «bon » restaurant doit-il servir des portions copieuses ?		X
° Prenez-vous une collation avant d'aller souper avec des amis ?		X
° Mangez-vous debout ?	X	
° Humez-vous vos aliments ?		X
° Un repas retardé vous met-il en colère ?		X
° L'idée qu'on puisse trouver certains aliments « trop riches » vous semble-t-elle étrange ?		X
° Vous réveillez-vous pour manger ?		X
° Avez-vous dans votre placard des vêtements de trois tailles différentes ou plus ?		X
° Manger vous donne-t-il parfois encore plus d'appétit ?	X	
° Vous sentez-vous comme un « objet » si l'on parle de votre apparence physique ?	X	
° Vous êtes-vous dit : « Si on m'aime, on doit m'aimer même gros. »		X

	OUI	NON
○ Habituellement, finissez-vous entièrement votre plat, quelle que soit votre faim ?	X	
○ Mangez-vous de façon presque continue ?		X
○ ~~Durant une fête, passez-vous le plus clair de votre temps au buffet ?~~ Évitez-vous, au contraire, consciencieusement cette zone ?	X	
○ Avez-vous déjà essayé plus d'un régime à la mode ?	X	
○ Avez-vous l'habitude de plaisanter de vous avant que les autres ne le fassent ?		X
○ Contrôler votre nourriture vous donne-t-il un sentiment d'exaltation ?		X
○ Avez-vous peur d'être « normal » ?	X	
○ Avez-vous l'impression que la nourriture rangée sur l'étagère vous « fait signe » ?	X	
○ Vous habillez-vous soit trop grand, soit trop ajusté ?	X	
○ Vos amis mangent-ils de la même manière que vous et en sont-ils gênés ?		X
○ Vous refusez-vous des joies en disant : « Plus tard, quand j'aurai maigri ? »		X
○ Vos proches vous voient-ils différemment de vous ?	X	

2

ÊTES-VOUS
UN M.C.?

ÊTES-VOUS UN M.C.? C'EST BIEN POSSIBLE!

Lire ce livre implique un intérêt certain pour l'alimentation, le surpoids, la santé, les régimes, etc. Nombreux sont ceux qui, bien qu'ayant réussi dans la vie, ont besoin du soutien d'une drogue pour venir à bout d'une difficulté. Soixante à quatre-vingts millions d'Américains sont trop gros; à l'université, 30% des étudiantes s'empiffrent pour vomir ensuite; et, dès le collège, une fille sur dix est anorexique. Aux États-Unis et dans de nombreux pays développés, la nourriture apparaît aujourd'hui comme une «drogue de prédilection». Si votre alimentation vous sert, vous aussi, à faire face et non à faire marcher la machine, vous êtes un M.C. (mangeur compulsif).

Les troubles de l'alimentation concernent tout autant le jeûne volontaire que l'excès de nourriture: ce sont, en effet, les deux côtés de la médaille.

Les M.C. mangent ou se privent pour être à la hauteur dès qu'il y a compétition.

Un véritable enfer!

Ces désordres alimentaires se gravent si profondément dans chacune des cellules du corps qu'une diète rapide ou un passage éclair en psychothérapie ne suffisent plus à les exorciser. C'est bien plus complexe! Sinon vous ne seriez probablement pas en train de lire cet ouvrage...

Pourtant, cette introduction ne doit pas vous décourager mais, au contraire, vous réconforter. Cent fois, on vous a répété le discours: «C'est très facile de contrôler sa nourriture.» Seul résultat tangible... vous vous sentiez lamentable d'échouer alors que la tâche semblait si évidente. Au lieu de cela, dites-vous bien que la résolution de vos problèmes alimentaires sera le combat le plus difficile que vous aurez jamais entrepris. Tout ce que vous avez réalisé jusqu'à présent, vous le faisiez avec l'aide de votre meilleur soutien: la nourriture. Ce combat-là, vous devrez le mener à bien... seul.

Il me paraît plus humain et plus honnête de vous prévenir: je connais la difficulté de ce combat. Il ne faut pas minimiser l'effort en jouant les stoïques.

Cette vérité m'est apparue à l'occasion d'une banale intervention chirurgicale. Le docteur m'avait annoncé une souffrance de quelques minutes et, intérieurement, j'avais interprété «quelques» par «trois» minutes. Avant que l'anesthésie ne fasse son effet, il s'écoula vingt minutes. Lorsque j'avouai plus tard au médecin que cette durée m'avait fait craindre une complication, il me rassura immédiatement, précisant que ce laps de temps était tout à fait normal: dans sa bouche «quelques» signifiait «une vingtaine». J'aurais eu moins peur si j'avais su à quoi m'attendre!

En d'autres mots, j'aurais «accompagné» ma douleur en coopérant physiquement au lieu de m'inquiéter. Je préfère être clairement informée de ce qui m'attend. Mais le docteur consulté m'assura que souvent la vérité inquiétait ses patients. Il y a du pour et du contre dans ces deux conceptions.

Toutefois, j'affirme qu'un M.C. doit savoir que le chemin vers la guérison sera difficile. Trop de temps et d'argent ont été perdus en faux espoirs et en propositions de succès faciles et rapides. Seule une méthode sérieuse résoudra votre problème. Dès que vous aurez pris conscience de cette difficulté, vous aurez accompli le premier pas vers le succès.

COUPABLE OU MALADE ?

Combien de fois vous êtes-vous dit: «Je me suis mal conduit pendant les vacances, mais je serai sage à la rentrée»? La nourriture vous servait alors à évaluer votre bonne ou mauvaise conduite. En réalité, votre comportement alimentaire ne fait de vous ni un saint ni un coupable. Vous souffrez ni plus ni moins d'une maladie. Vous faites de votre mieux, en vain, pour contrôler votre attirance irrépressible envers la nourriture. La médecine prend en compte, enfin, cette réalité en offrant à présent un diagnostic clinique aux personnes souffrant de troubles du comportement alimentaire.

Vous ne manquez pas de volonté, vous êtes seulement malade.

L'*American Medical Association* a attendu jusqu'en 1957 pour reconnaître officiellement l'alcoolisme comme une affection pathologique; pourtant, depuis des siècles, les alcooliques mouraient à cause de cette force irrésistible qui les poussait à boire. De même, des schizophrènes ont été enfermés et torturés longtemps avant que la recherche ne révèle les causes chimiques et psychologiques de leurs troubles.

Ma décision de créer des unités hospitalières spécialisées dans les problèmes alimentaires repose avant tout sur l'idée que le patient doit être reconnu comme «malade» et non comme coupable. Cette approche fait des miracles pour les alcooliques. Lorsqu'un docteur prend en compte, avec sérieux, la maladie d'un patient dans un service hospitalier spécialisé, le malade, motivé par le respect plus que par le reproche, s'engage déjà dans la voie de la guérison.

Les personnes souffrant de troubles de l'alimentation – une longue et grave maladie chronique – ont besoin de respect et d'attention. Fini le temps des solutions simplistes ou punitives. Prenons maintenant au sérieux votre maladie.

Si vous avez choisi la nourriture comme drogue, vous souffrez forcément de l'une de ces deux principales affections: la boulimie ou l'anorexie. Dans ce livre, j'associe ces états car, pour moi, il s'agit de la même maladie présentant un seul profil psychologique. Il est totalement superflu de répartir les gens en maigres ou gros: les deux possèdent les mêmes structures de personnalité, et leur guérison procède d'un traitement identique. L'un est gros, l'autre maigre, mais parfois ces deux états se succèdent, entrecoupés de variations fréquentes avec une incapacité à maintenir un poids stable.

Il est possible que l'année dernière vous n'ayez pesé que 45 kilos en vous nourrissant exclusivement de salade. Mais cette année, votre poids atteint 90 kilos et vous ne supportez plus les gens «normaux» (ceux qui ne pensent pas toujours à aller au restaurant). Bien souvent, le corps d'un M.C. semble changer au jour le jour. Comme me disait un malade: «J'ai été mince autrefois... lors d'un vol d'une demi-heure vers Chicago.»

Vous avez donc certainement connu tant la sveltesse que le surpoids. Même ceux qui sont obèses depuis l'enfance, à cause de problèmes métaboliques ou génétiques et d'habitudes héréditaires, ont vécu de relatives périodes de minceur (même si elles n'ont duré que le temps d'un voyage en avion!). Et pratiquement tous les anorexiques ont débuté par un problème de surpoids, suivi d'un régime et d'une sorte d'exaltation dans l'ascétisme qui les a transformés en obsédés de l'abstinence, totalement amaigris. Bien entendu, la nourriture demeure la préoccupation numéro 1 de leur vie.

Alors, gros ou maigre, vous portez en vous le germe de votre contraire. Si vous êtes maigre, les grosses dames vous répugnent. Pourtant celles-ci clament: «Je ne voudrais rien avoir en commun avec ce paquet d'os qui étale son anatomie!» Dans tous les cas, le succès repose sur l'acceptation de cette dualité intime plutôt que sur sa négation.

Votre première démarche importante consistera donc à éviter le critère d'évaluation par la balance. Car votre problème porte plus sur votre relation à la nourriture que sur votre poids.

Votre guérison implique la redéfinition de votre relation aux aliments et non de devenir un obsédé de la balance.

L'ADORATION DU DIEU BALANCE

Si vous m'avez suivie et approuvée jusqu'ici, vous devriez alors reconnaître qu'il est absurde de sortir du sauna en claironnant à vos amis: «J'ai perdu 1,5 kilo!» C'est le même 1,5 kilo (ou les mêmes 15 kilos) perdu, repris et reperdu, jadis et naguère.

Vous peser ne débouche sur aucune solution. Il faut en fait envisager une relation complètement nouvelle à la nourriture. Se prosterner devant la balance chaque matin fait partie de l'obsession. C'est ce comportement qui doit changer.

Vous avez choisi une simple balance comme votre dieu. Chaque matin vous lui demandez: «Qui suis-je?» Alors que le fond du problème est: «Est-ce que ça va se voir?» Vous voudriez bien savoir, en fait, si le grignotage de la veille qui vous culpabilise tant va porter à conséquence. Si votre écart passe inaperçu sur la balance, vous soufflez: «Ouf, ça n'a pas fait de dégâts!» Ou bien, perché sur cette divine balance, cherchant à ranimer une motivation qui vous aide à supporter les privations, vous implorez: «Dieu Balance, me récompenseras-tu de mes efforts d'hier?» En tout état de cause, vous cherchez un «truc à ressort» pour vérifier où vous en êtes. Mais que le dieu Balance montre soit un gain, soit une perte, et voilà l'excuse toute trouvée pour de nombreux excès! En cas de perte, vous vous dites: «Bon, ça marche bien. Il n'y a donc pas péril en la demeure, je vais aller grignoter quelque chose.» Si, par contre, vous n'avez rien perdu, ce sont les lamentations: «C'est trop injuste! Autant manger!»

En toute hypothèse, se peser conduit à manger. Pesez-vous aujourd'hui en entreprenant la lecture de ce livre, et laissez ensuite passer un mois complet. Vous verrez qu'il est parfois plus difficile de s'éloigner de la balance que de la nourriture elle-même. Faites l'essai, vous comprendrez.

En cessant d'être obnubilée par son poids, la personne comprend mieux que sa maladie est plus du ressort de la médecine qu'une simple affection morale.

Mais examinons maintenant les diverses formes de diagnostic.

La BOULIMIE

Le mot *boulimie* provient du grec ancien βουλιμία qui signifie «dévorer comme un bœuf». Ce mot n'est donc en rien lié à l'idée de vomissement, comme on le croit trop souvent.

S'il soupçonne un diagnostic de boulimie, le docteur pose des questions précises sur la manière de s'alimenter. Le questionnaire suivant, destiné à dépister la boulimie, vous permettra de voir si vous en souffrez. Répondez-y aussi loyalement que possible, même si certains des rapports que vous entretenez avec la nourriture vous semblent mystérieux.

1. Êtes-vous capable d'absorber une importante quantité de nourriture en un temps très bref?

2. Avez-vous conscience que votre alimentation est anormale?

3. Vous sentez-vous dépressif ou abattu après un excès alimentaire?

4. Au moment d'une crise, avez-vous l'impression d'être dans l'impossibilité de vous arrêter de manger?

Si, parmi les cinq questions suivantes, vous répondez positivement à *trois d'entre elles*, vous serez diagnostiqué comme boulimique:

5. En cas de crise, consommez-vous de préférence des aliments hautement caloriques et faciles à absorber?

6. Vous livrez-vous le plus souvent à vos excès en secret?

7. Vous arrêtez-vous parce que vous vomissez, parce que vous vous endormez, parce que quelqu'un vous interrompt ou parce que vous vous pliez de douleur (autrement dit, la décision d'arrêter est-elle rarement de votre fait)?

8. Votre poids varie-t-il souvent de 5 kilos ou plus?

9. Avez-vous déjà, à plusieurs reprises, tenté de maigrir par des régimes draconiens, des vomissements, des laxatifs, des diurétiques ou d'autres médications pour vomir?

Telles sont les questions dont un docteur s'enquiert. Vous constatez qu'une seule s'applique au problème du poids et uniquement pour vérifier la vitesse des variations. La boulimie n'a rien à voir avec le poids. On peut dévorer et être obèse, comme on peut dévorer et être maigre. Cette maladie ne concerne que la manière anormale dont on «engouffre» la nourriture. Vous remarquerez aussi que, si certaines questions se rapportent aux vomissements, ceux-ci ne sont pas le signe exclusif de la boulimie. Commettre des excès pour se soumettre ensuite à un régime draconien correspond à une forme de boulimie. Manger en secret une énorme quantité de croustilles, tomber endormi, se réveiller dépressif pour avoir pris 5 kilos, puis jeûner et se gaver de laxatifs pour faire disparaître l'excès de poids: voilà la boulimie.

La boulimie caractérise la manière dont on ingère les aliments et non ce qui se passe ensuite. L'obèse garde la nourriture; mais un autre peut aussi bien la revomir ou la faire disparaître par un jeûne draconien. La boulimie est avant tout caractérisée par l'excès alimentaire.

Certains reportages ou articles de magazines ont popularisé le terme de *boulimarexie* pour désigner les excès suivis de vomissements volontaires. Les spécialistes, cependant, n'ont pas retenu cette distinction, et se contentent simplement de parler de «boulimie».

L'ANOREXIE

Que se passe-t-il dans le cas contraire? C'est-à-dire quand l'obsession alimentaire conduit à *ne plus manger.* Voici les questions utilisées médicalement pour dépister l'anorexie. Essayez d'y répondre en toute honnêteté, même si vous vous êtes forgé des «alibis» qui altèrent le diagnostic. Peut-être n'avez-vous pas clairement conscience de la situation. En cas d'anorexie véritable, les proches sont parfois les premiers à se rendre compte de votre situation.

1. Redoutez-vous particulièrement de devenir obèse?

2. Même en cas de réussite d'un régime amaigrissant, continuez-vous à être effrayé d'une éventuelle obésité?

3. Vous sentez-vous gros même quand on vous décrit comme maigre?

4. Êtes-vous à plus de 25% en dessous du poids minimal correspondant à votre âge et à votre taille?

5. Refusez-vous catégoriquement de vous stabiliser à votre poids santé tel que la médecine le définit?

6. Souffrez-vous de frissons, de bouffées de chaleur, d'un pouls lent ou d'une pression sanguine trop basse?

7. (Pour les femmes) Vos règles sont-elles irrégulières ou absentes?

8. Vous arrive-t-il parfois de manger puis de vomir?

Dans l'anorexie comme dans la boulimie, ce n'est pas tant le poids qui importe. Le comportement vis-à-vis de la nourriture ou des diètes est le seul facteur déterminant. Les anorexiques souffrent d'une peur anormale de s'alimenter. On note aussi parfois une répulsion de leur apparence physique pourtant normale (la troisième question qui y fait référence constitue un point crucial du diagnostic de boulimie ou d'anorexie). Les obèses s'imaginent plus minces qu'ils ne le sont et les maigres se sentent adipeux. Cela confirme bien que ces affections proviennent de sensations internes et non de problèmes de poids santé, et que la maladie est surtout liée à l'acceptation de soi-même et de la réalité. Voilà pourquoi le traitement des deux affections passe par la découverte de nouvelles relations positives vis-à-vis de soi-même et d'autrui.

Vous êtes un «drogué»[1]!

Même si, pour un mangeur compulsif, le rétablissement se situe surtout au niveau émotionnel et psychologique, il ne faut pas sous-estimer l'aspect physique de la maladie. Je me méfie énormément de certaines tendances de la médecine qui ne voient là qu'un trouble purement psychologique. La même erreur fut autrefois commise à l'endroit des alcooliques placés en hôpitaux psychiatriques au lieu d'être soignés dans des établissements spécialisés. Les médecins refusaient de reconnaître que le comportement pathologique de ces gens découlait de leur habitude de boire. De même, chez les M.C., c'est la nourriture qui engendre le comportement anormal. Dans les centres de traitement de l'alcoolisme, on a démontré qu'après sevrage seuls 2% des patients souffraient encore de maladies mentales, soit un taux identique à celui constaté sur l'ensemble de la population.

Le traitement des troubles de dépendance est différent de celui des maladies mentales. Si la psychiatrie avait été efficace, je n'aurais certainement pas atteint mon poids record de 100 kilos!

Les troubles alimentaires sont caractérisés par une importante composante physique. J'ai longtemps lutté, refusant de voir

---

1. Les spécialistes parlent de compulsion et de dépendance pour décrire l'esclavage ou la dépendance à toute drogue quelle qu'elle soit: alcool, tabac, héroïne, nourriture. (*N.d.T.*)

cet aspect, et, pendant dix ans, je me suis plongée dans une exté-
nuante psychothérapie destinée à découvrir en moi-même les
raisons de mon comportement. Je m'imaginais arrêter miraculeusement de manger après en avoir découvert la cause. Malheureusement, cette thérapie n'a fait que masquer la composante
physique de ma boulimie. Il me fallait d'abord arrêter de manger
de manière désordonnée pour retrouver ma lucidité. Autrement
dit, la nourriture est une drogue dont l'excès anesthésie toutes les
sensations, y compris la douleur. Elle camoufle tout! Et sacré-
ment bien!

Tout drogué – quelle que soit sa drogue – découvre un jour
ou l'autre qu'il est attaché par un lien dangereux. En choisissant
de lire ce livre, vous prouvez que vous êtes, vous aussi, assujetti
à la nourriture. Aveu pour le moins embarrassant, voire même
déroutant. Il n'y a rien de glorieux à reconnaître qu'une part de
gâteau au chocolat suffit à nous mener par le bout du nez!
J'aurais préféré être alcoolique que M.C.! Parmi les alcooliques,
on trouve quantité de célébrités: des artistes, des hommes politi-
ques ou toutes sortes de vedettes de l'écran. Mais qui s'est jamais
vanté d'être drogué à la nourriture? D'entretenir un lien contre
nature, une dépendance destructrice envers une simple barre de
chocolat? Les M.C. vivent un martyre.

QU'EST-CE QU'UN DROGUÉ?

Voici une définition, simple et opérationnelle, de la dépendance: «En manque, on se sent mal; et quand on en a, on ne se
sent pas bien.» Peut-être est-ce la relation que vous entretenez
avec la nourriture: même si elle vous est utile pour arrondir les
angles, elle ne vous rend pas la vie particulièrement rose. Au
réveil, vous n'êtes ni joyeux ni heureux de vivre. Au contraire, si
vous êtes fortement dépendant, vous vous réveillez passablement
nauséeux au souvenir des excès de la veille. Vous vous sentez
prisonnier de ces débordements indépendants de votre volonté.

À peine avez-vous eu le temps de reconnaître la domination exercée par les aliments que vous vous trouvez déjà totalement «drogué».

La médecine distingue trois caractéristiques de la dépendance des M.C.:

1. Initialement, un important niveau de tolérance

Cela est particulièrement évident quand on se met à dévorer «tout ce qui traîne» à la maison. Le M.C. est capable d'ingurgiter d'énormes quantités sans en ressentir la moindre gêne. Et lorsque, devant lui, certains évoquent des plats «trop riches», il est incapable de comprendre ce qu'on entend par là. Tandis que ses voisins repoussent ceux qui sont trop copieux, lui finit tous les restes en débarrassant la table.

Le niveau de tolérance des M.C. aux aliments est extrêmement élevé.

2. Des symptômes de «manque» lors d'un sevrage

Si vous vous sentez léthargique ou irritable pendant un régime, vous subissez un léger symptôme de manque. Certains M.C. souffrent parfois de violents tremblements, de brusques sautes d'humeur, de crises de larmes et même, parfois, de convulsions.

À l'origine, il en allait de même pour les alcooliques. Malgré leurs plaintes, le personnel soignant avait tendance à minimiser leurs témoignages. Les médecins, sans doute eux-mêmes prisonniers du schéma mental qui fait dire que «prendre un petit coup est agréable», préféraient ne pas penser aux épouvantables conséquences de l'alcoolisme. En revanche, tout le monde s'accorde volontiers pour reconnaître les effroyables effets du manque chez les toxicomanes. On ignore souvent que les douleurs de la privation peuvent tuer certains alcooliques, alors que ce phénomène est très rare dans le cas de l'héroïne qui fait souffrir mais ne tue pas. L'alcool, comme la nourriture, imprègne chaque cellule de l'organisme et influe sur tous les organes.

Si on est parfois enclin à minimiser la dépendance des alcooliques du fait que nous buvons tous, je vous laisse imaginer à quel point on niera ou sous-estimera ce phénomène quand il s'agit de nourriture.

Voici, par exemple, quelques symptômes liés à la privation de sucre :

- Fatigue
- Vertiges
- Irritabilité
- Dépression
- Évanouissements
- Insomnie
- Sueurs nocturnes
- Tendances suicidaires
- Tremblements

- Crises de pleurs
- Amnésie partielle
- Sautes d'humeur
- Accès de colère
- Troubles de la vision
- Indigestion
- Asthme
- Impuissance
- Maux de tête

Les pires effets du manque se manifestent entre le quatrième et le sixième jour. Si l'on pouvait rester enfermé à trembler, crier et pleurer, la crise s'apaiserait. Malheureusement, on est rarement prévenu de ces tourments, aussi se contente-t-on le plus souvent de se soigner en recommençant à manger. Si vous ne croyez pas à cette théorie de la dépendance, repensez à tous ces jeudis (le quatrième jour) où vous avez laissé tomber votre régime. Vous commencez toujours sérieusement le lundi et, quand arrive le jeudi avec sa sensation de manque, vous décidez de remanger jusqu'au week-end pour «vous y remettre sérieusement la semaine suivante».

3. Des désirs irrépressibles longtemps après le sevrage

Même après avoir laissé tomber, vous continuerez à subir des «faims» psychologiques longtemps après la cessation de la douleur physique. Souvent, ces envies irrépressibles font succomber le patient privé de l'aide de sa vieille compagne, la nourriture, qui, elle, savait l'apaiser. Quand la souffrance devient trop insupportable ou qu'un événement imprévu bouleverse le cours du régime, il paraît plus facile de replonger que de changer sa vie. Le programme présenté dans ce livre vous permettra d'atténuer ces envies irrépressibles, car il se propose de changer votre vie.

QUELLE DÉPENDANCE ?

Si vous avez été élevé avec une alimentation moderne telle qu'on la trouve dans les supermarchés, vous êtes vraisemblablement drogué à la malbouffe, c'est-à-dire aux sucres ou aux hydrates de carbone raffinés. Le moindre excès alimentaire vous procure donc un excès de sucre.

Ainsi, sans même vous en rendre compte, vous avez fini par en devenir dépendant. En soignant des héroïnomanes de New York, j'ai constaté qu'ils souffraient d'une forme de dépendance fondamentalement différente de celle, plus progressive et plus insidieuse, des alcooliques ou des M.C. Les drogués savent parfaitement qu'ils s'injectent une substance toxique entraînant une dépendance. Ils deviennent dépendants au prix d'une décision consciente et ils en assument le risque. Mais vous, malencontreusement, vous voici dans le même état sans l'avoir jamais voulu. Que s'est-il passé ?

Dans son livre *Psychodietetics*, le docteur Manuel Cheraskin, diététicien, dentiste et chercheur à la Louisiana State University, fournit une explication. Au cours d'une expérience, il donna à un groupe de souris de délicieux granulés, riches en fibres et nutriments mais à basse teneur en sucres, sel et graisses. Comme boisson, il leur proposa de l'alcool et de l'eau, et les souris, bien sûr, choisirent la sobriété. Puis il sépara les animaux en deux groupes : le premier groupe-test conserva la même alimentation, tandis que le second fut alimenté en malbouffe, confiseries, croustilles, salami ou petits gâteaux. Ce second groupe, en se réalimentant comme le premier, abandonna délibérément l'eau pour se tourner vers l'alcool. Que s'était-il passé ?

Les souris nourries à la malbouffe, se retrouvant soudain «en manque» de sucres, se servaient de l'alcool pour arrondir les angles (l'alcool contient du sucre sous forme liquide). Une fois privées de malbouffe, les souris, comme les hommes, cherchent une consolation dans l'alcool. Cette nouvelle alimentation préparerait-elle une nouvelle génération d'alcooliques?

Ces problèmes ont également été étudiés par William Dufty dans *Sugar Blues*, son étude consacrée à la dépendance au sucre.

On trouve désormais des sucres sous une forme ou une autre dans tous les aliments industriels. Même la nourriture des nourrissons en est gorgée, non pas tant pour l'enfant que pour flatter le goût de la mère. Avant même d'être en âge de choisir, l'enfant est déjà soumis à une dépendance. Même le tabac des cigarettes est agrémenté de sucre. On comprend que certaines personnes, arrêtant de fumer, se reportent de manière désordonnée sur la nourriture. Les alcooliques en cours de désintoxication ont également un besoin désespéré de sucre.

Sans un changement radical de la personnalité, on reste coincé dans un cercle vicieux en changeant simplement une dépendance pour une autre.

MOI? DITES-VOUS...

Vous êtes consterné? Je vous comprends... Personne n'aime s'imaginer dans la peau d'un drogué. « Si je le veux, je peux cesser à n'importe quel moment! » C'est toujours ce que disent les drogués. « Mais pour l'instant, je ne le souhaite pas... »

Vous êtes là, au calme, avec ce livre; reconnaissez honnêtement la vérité enfouie au fond de vous: vous êtes sous emprise, peut-être pas pour l'éternité mais en tout cas pour le présent.

La notion de dépendance au sucre est encore controversée. À la lecture de cet ouvrage, certains médecins écriront peut-être des lettres de protestation pour dénoncer ce concept de dépendance dans le cas d'un trouble alimentaire. Prononçant un jour un exposé devant un *aréopage* d'éminents scientifiques, je fus vigoureusement prise à partie par l'un d'eux. Selon lui, la thèse de la dépendance au sucre était une hérésie: «Il n'existe aucune preuve scientifique de ce que vous avancez! hurlait-il. Je suis spécialiste de l'endocrinologie et je peux témoigner que votre théorie n'a jamais été scientifiquement démontrée.»

Voici la réponse que je lui opposai: «Cette théorie, même si elle n'est pas encore prouvée, aide les gens à se déculpabiliser en les libérant du cercle vicieux des punitions et des récompenses. Ils peuvent ainsi se considérer comme des malades en cours de traitement et non plus comme de pitoyables déchets. Le concept de dépendance permet de s'affranchir de toute idée moralisatrice.»

La médecine en sait peut-être moins long que vous sur ces comportements alimentaires malsains. Car vous, vous savez qu'il s'agit bel et bien d'une dépendance, et votre traitement sera le même que celui mis en œuvre pour les autres dépendants.

MAIS JE SUIS ANOREXIQUE ET JE NE MANGE RIEN!

Même si vous refusez de vous alimenter, la notion de dépendance s'applique. En tant qu'anorexique, vous vous prenez pour une super femme ou un surhomme, pour un esprit éthéré au-delà de la nourriture. Et vous voilà «drogué» à ce sentiment. Ne pas se nourrir engendre physiquement une sensation «planante», comme le montrent les fakirs et les mystiques qui, depuis des millénaires, jeûnent pour parvenir à l'illumination, à la plénitude spirituelle ou à l'extase délirante. Sans doute avez-vous «faim» de ce sentiment de pureté au point de ressentir dégoût et répulsion lorsque vous vous forcez à manger.

En 1983, le *New England Journal of Medicine* publia une étude, fortement controversée, comparant les motivations et les modes de vie d'un groupe d'adolescentes anorexiques avec ceux de certains coureurs à pied âgés d'une quarantaine d'années. Les deux ressentaient une même profonde exaltation à l'idée de pousser leur corps au-delà des limites de l'endurance. Les sportifs parlaient de «se défoncer». Les anorexiques, quant à elles, prenaient plaisir à éprouver leur résistance en préparant une cuisine élaborée pour leurs proches, alors qu'elles-mêmes faisaient abstinence.

Les deux attitudes sont identiques. La plupart des anorexiques affichent un aspect de drogué, les yeux fixés dans le vide comme si rien, alentour, ne les concernait. Les sportifs reconnaissent le même état de solitude quasi hypnotique durant l'effort. Leur «défonce» représente le même style de dépendance que les privations des anorexiques.

CARESSE-MOI !

Dans son ouvrage *Positive Addictions*, William Glasser, M.D., met en évidence certaines tendances conduisant à la dépendance psychologique. D'autres recherches incitent fortement à penser qu'il existe une composante *physique* réelle à ces dépendances. La médecine a découvert dans le système nerveux un mécanisme déclenchant une substance de type morphine qui contribue à diminuer la douleur et à supporter les chocs et les traumatismes.

Connues sous le nom d'*endorphines*, ces substances sont sécrétées pour calmer la douleur et procurer un bien-être général.

Certains travaux montrent que les alcooliques et les M.C. produisent moins d'endorphines que la normale, et que certains métabolismes transforment les sucres de manière plus ou moins efficace. Si vous produisez moins d'endorphines, vous devez vous sentir «à cran». En mangeant du sucre – ce qui accroît la production des endorphines –, vous faites disparaître ce malaise. Tout le monde ne ressent pas cet effet du sucre. C'est pourquoi certains s'en passent si aisément. Ils ont déjà leur calmant sous la forme des endorphines qu'ils produisent naturellement.

Si vous êtes anorexique, l'«ivresse» du jeûne vous procure la même sorte d'apaisement. Comme les coureurs qui se «défoncent», l'idée de dépasser vos limites vous procure un sentiment d'exaltation. Il est très difficile de se priver de cette sorte de «calmant».

Rassurez-vous, il existe, indépendamment des excès ou des privations, une autre méthode permettant d'accroître la production d'endorphines. C'est l'étreinte, la caresse.

Oui, vous avez bien lu, l'étreinte. Le simple fait de serrer quelqu'un dans ses bras suscite une libération d'endorphines qui permet de retrouver l'équilibre en partageant la chaleur de l'être aimé. Le chien le sait bien, lui qui fait le beau pour se faire gratter ou recevoir une caresse. C'est sa manière à lui de maintenir dans son sang un taux élevé d'endorphines, ce qui lui permet de demeurer pacifique.

Les animaux savent se pelotonner et se faire cajoler. Connaissez-vous des animaux naturellement obèses? Les seules bêtes connues pour souffrir de surpoids sont celles qui sont gavées par des maîtres obèses. Ils ne savent pas témoigner leur amour autrement.

En Chine, l'obésité est rare, mais les contacts physiques fréquents. Là-bas, les mères portent leur bébé sur leur dos pendant plusieurs années. L'enfant perçoit ainsi la chaleur de sa mère qui lui offre le sein dès qu'il manifeste sa faim. L'éducation y est aussi profondément différente. On ne se soucie guère de discipline avant l'âge de raison, fixé à cinq ans, quand l'enfant est à même de reconnaître le bien du mal. À part certains individus qui font de leur poids un symbole de leur aisance matérielle, les Chinois ne souffrent pas d'obésité.

Pour abandonner la nourriture, il faut donc engranger de l'amour! Cette idée vous dérange? Dites-vous que c'est pour votre santé. Embrassez-vous... pour raison médicale. Ces embrassades, indispensables pour mettre fin aux excès alimentaires, feront partie intégrante de votre traitement.

La volonté est morte, l'obésité l'a tuée

D'aucuns, qui ne connaissent pas vos tourments, vous diront parfois que «tout ça, c'est dans votre tête». Variante connue du conseil type «avec un peu de bonne volonté...». Et, effectivement, même si vous souffrez physiquement des symptômes du manque et d'une forte dépendance, il existe aussi une forme d'assujettissement mental à l'alimentation qui perturbe votre relation à la nourriture. Normalement, l'être humain ne voit en elle qu'un moyen de calmer sa faim, d'absorber un «carburant» et n'y implique aucune notion de bien ou de mal. Alors que chez les obèses ou les anorexiques prévaut un sentiment de culpabilité. Se sentir fautif en mangeant montre qu'il y a problème. Les gens normaux ne culpabilisent pas à table. Ils savent s'abstenir dès qu'ils comprennent qu'ils vont le regretter. Les M.C., quant à eux, anticipent leur culpabilité, s'y vautrent, s'en veulent à mourir, mais finissent toujours par succomber.

Lorsque l'*American Medical Association* reconnut l'alcoolisme comme une maladie, ce diagnostic fut en partie fondé sur le fait qu'il s'agissait de «**patients ayant essayé de s'arrêter**». Quand un malade avait vainement tenté de mettre un terme à sa conduite, on y voyait un indice de dépendance. Les gens normaux n'*essaient pas*; ils arrêtent. Les drogués, eux, *tentent*... Une fois, deux fois, mille fois déjà, ils ont voulu contrôler leur obsession alimentaire et, malgré de brèves périodes de régime, y sont toujours retombés.

Vous aussi, vous avez tenté d'arrêter. Sans succès. Vous vous en êtes amèrement voulu au lieu de reconnaître que vous étiez malade. Vous vous êtes probablement jeté de manière désordonnée sur la nourriture avec un affreux mélange de honte et de désespoir. Rappelez-vous que, pour porter leur diagnostic de boulimie ou d'anorexie, les médecins se fondent sur l'attitude du patient vis-à-vis de la nourriture. Comparons ce phénomène à l'alcoolisme pour voir s'il existe un parallèle entre les deux esclavages!

L'incidence sur son problème est d'autant plus grande qu'un alcoolique boit avec mauvaise conscience. Cela se vérifie clairement chez les mormons ou les musulmans pour qui l'alcool correspond à un interdit religieux. Lorsqu'ils commettent une infraction même légère, le sens de la faute et le remords s'emparent d'eux. Ils continuent à boire pour masquer leur culpabilité et finissent parfois comme des ivrognes. Par expérience, j'ai constaté qu'ils constituent les patients les plus malaisés à soigner. Ils éprouvent une grande difficulté à passer du concept de péché à celui de maladie. Pour guérir, il faut d'abord accepter sa maladie.

Lorsque la nourriture aura perdu son pouvoir de vous faire sentir «bien» ou «mal», vous ne chercherez plus à exercer votre volonté et vous commencerez à solliciter l'appui de vos proches.

MALAISE ET MALADIE

Vous souffrez d'un *malaise* lorsque vous ne vous sentez pas *à votre aise*. Quand les choses ne tournent plus rond. L'alcoolisme et les troubles alimentaires font partie de ces malaises qui se composent d'une *dépendance physique* associée à une *obsession psychologique*. Nous avons vu précédemment certains aspects physiologiques; pour lutter contre la maladie, nos efforts ne doivent pas se limiter à cette approche physique. Il faut aussi examiner la dépendance psychologique à la nourriture.

Pour contrôler leur poids, certains patients n'ont pas hésité à subir une ablation de la moitié de l'intestin. Malgré cette chirurgie radicale, beaucoup ont repris du poids. L'organisme ne change pas si le mental n'évolue pas. Il faut admettre les données physiques, mais en faisant sa part à l'obsession psychologique. Nous ne pouvons minimiser ni l'une ni l'autre.

Étudions la progression, insidieuse et lente, des aspects psychologiques de l'obsession.

MANGER POUR LA FÊTE, MANGER POUR LA DÉFAITE

Un M.C., quand il est sévèrement atteint, mange quel que soit son état d'esprit. Il dévore pour calmer ses émotions, bonnes ou mauvaises; se gave pour oublier; fait la noce pour fêter la victoire de son équipe... comme son échec. Inutile de chercher les raisons de ces alibis. Vous pourrez peut-être vous poser avec quelque intérêt cette question après avoir guéri, mais, pour l'heure, elle ne mène à rien. Tant que la nourriture vous servira de calmant, vous serez incapable de découvrir une vérité claire et opérationnelle. Vouloir soigner un M.C. par psychothérapie revient à tenter de sermonner un alcoolique. Une introspection ne peut pas modifier un comportement alimentaire. Alors qu'un changement d'attitude alimentaire influe sur la qualité de l'introspection.

Il vous a fallu très longtemps pour atteindre, lentement et insidieusement, votre état actuel. Malheureusement, lorsqu'on en est prisonnier, il est presque impossible de se rendre compte de cette très progressive évolution.

LA PROGRESSION CONDUISANT À L'OBSESSION PSYCHOLOGIQUE

Dans votre journal personnel ou un cahier de notes, répondez aux questions suivantes.

- *Disposez-vous de signaux avertisseurs ?*
  - Une prédisposition héréditaire aux excès alimentaires.
  - Une faible tolérance aux sentiments «négatifs» (colère, tristesse, peur, etc.).
  - Un important niveau de stress.
  - Un ressentiment envers les gens normaux ou minces et un sentiment de compétition à leur égard.

- **Commettez-vous des abus ?**

  - La nourriture vous sert-elle à oublier vos soucis ?
  - Ou vous sert-elle à masquer d'autres problèmes (sexe, travail, etc.) ?
  - Passez-vous beaucoup de temps à penser à la nourriture (les courses, la cuisine, les sorties, etc.) ?
  - Évitez-vous ou, au contraire, passez-vous votre temps à parler de problèmes de poids et de nourriture ?
  - Êtes-vous tout le temps «au régime» ?
  - Mangez-vous en cachette à l'extérieur (en faisant les courses, en conduisant, etc.) ?
  - Avez-vous peur de manquer de nourriture et faites-vous des excès pour éviter d'avoir faim ?
  - Vous sentez-vous obligé de manger de nombreuses fois en peu de temps ou aussitôt après un repas ?

- **Êtes-vous dépendant ?**

  - Mangez-vous jusqu'à en être ballonné ou avoir la nausée ?
  - Mangez-vous pour effacer les sentiments négatifs (culpabilité, honte, remords, etc.) engendrés par de précédents excès ?
  - Niez-vous la prise de poids ou refusez-vous de voir un lien entre la nourriture consommée et la prise de poids ?
  - Niez-vous les conséquences ou les complications physiques liées au surpoids ?
  - Niez-vous votre absence de volonté et continuez-vous à promettre de vous contrôler, alors que ces promesses sont chaque fois bafouées ?
  - Souffrez-vous de pertes de mémoire ou êtes-vous dans un état proche de la transe en mangeant ?

- Avez-vous du mal à estimer une portion normale? Vous sentez-vous prisonnier (la nourriture devenant votre salut et votre perte)?

- Faites-vous des efforts désespérés pour suivre un régime grâce à des pilules, des cours d'aérobie ou autres, des vêtements de sudation ou tout régime à la mode?

- Ressentez-vous honte, remords ou sentiment de culpabilité après un échec, et mangez-vous pour vous en libérer?

- Mentez-vous pour cacher votre comportement alimentaire, volez-vous de la nourriture?

- Vous sentez-vous effrayé ou «différent», comme étranger aux autres?

- Votre alimentation nuit-elle à vos autres activités (travail, famille, amis, etc.)?

- Vous sentez-vous désespéré, anxieux, dépressif ou suicidaire?

PREMIÈRE ÉTAPE

Une personne née de parents obèses possède 80% de risque de se retrouver dans le même état à cause de sa prédisposition génétique à accumuler les cellules graisseuses. Dès le départ, les dés sont pipés. Mais il faut aussi se demander si des parents obèses constituent une bonne école pour apprendre à manger correctement. Vraisemblablement non. Ils montrent l'exemple de l'excès en qualifiant de convenables des portions que d'autres jugeraient colossales. À leur contact, l'enfant prend l'habitude de trop manger. Hérédité et environnement jouent tous deux un rôle capital dans la création du futur M.C.

Cependant, le plus important est l'emploi de la nourriture pour soulager le stress. Dans un environnement «stressé», on prend vite l'habitude d'aplanir les aspérités à l'aide de ce rituel simple et immédiat: absorber quelque chose. Souvent on ne connaît pas d'autre méthode. On ignore qu'un changement de style de vie permettrait de réduire la tension. La nourriture, elle, est toujours à portée de main. On prend donc l'habitude de rechercher ce soulagement ou cette gratification immédiate (*Si je le veux, c'est tout de suite !*).

Il est très difficile de renoncer à un tel comportement inculqué avant même l'«âge de raison». Comme on ne vous a pas appris à différer vos désirs, vous ne témoignez que d'un très faible niveau de tolérance au stress: ignorant comment résister aux tempêtes, vous ne savez que vous mettre à l'abri. Aussi, en grandissant et en faisant face aux difficultés croissantes de la vie, le stress se fait sans cesse plus intense, et plus intenses aussi vos envies de nourriture qui se développent sans même que vous en preniez conscience.

L'ÉTAPE OBSESSIONNELLE

Ayant façonné ainsi un mode de vie fondé sur la nourriture, on ressent la nécessité de veiller avec un soin jaloux sur notre approvisionnement et notre manière de manger. L'importance des quantités absorbées et la façon dont on «engloutit» commençant à susciter notre embarras, on prend progressivement l'habitude de manger seul. Puis ces moments deviennent des instants que l'on vole pour s'isoler et où on se hâte d'avaler de peur d'être découvert.

Ainsi apparaît un nouveau schéma alimentaire où l'on mange sans envie. C'est la peur qui fait manger, la peur de se retrouver en manque. Comme on ne veut pas se couper socialement ou paraître affamé – et montrer aux autres qu'on est en proie à des désordres alimentaires –, on préfère prendre les devants et manger à la maison pour se donner du courage, avant d'aller à telle ou telle réception où on sait qu'on aura à endurer la difficile tâche de faire bonne figure en public. Il ne s'agit plus de déguster ou de savourer la nourriture; désormais on mange «au cas». Bientôt la nourriture devient notre principal souci, et on ne pense qu'aux courses pour s'assurer qu'on en aura «assez». Mais, à ce stade, on n'en a jamais «assez»...

LA DISSIMULATION

Parvenu à cette étape, on sait qu'on a perdu le contrôle. Et, pour mieux oublier ces douloureux moments de lucidité, on mange tant et plus. La nourriture sert à se sentir mieux et à éloigner, même momentanément, la sensation de culpabilité.

Votre comportement alimentaire vous culpabilisant, il vous faut manger de nouveau pour évacuer ce sentiment. Vous développez un système de dénégation pour vous convaincre que «tout ne va pas si mal». Votre comportement alimentaire devient une sorte de secret non seulement pour vos proches, mais aussi pour vous-même. Vous vous mettez à manger en faisant les courses ou bien debout dans la cuisine. Vous niez prendre du poids. Vous ne voulez plus faire le lien entre la nourriture consommée et la graisse qui vous envahit. Quand vous mangez, vous en occultez toutes les conséquences. Habitué aux excès suivis de régimes, vous vous dites, au moment de passer à table: «Cela ne compte pas. Demain, je ferai abstinence.»

Vous entrez dans une logique du «rattrapage»: gloutonnerie un jour et jeûne le lendemain. Votre vie se met à osciller: vous passez sans cesse des excès et de l'aveuglement à la culpabilité et aux faux serments.

Et au terme du processus, vous finissez même par abandonner ce mécanisme de leurre. Vous devenez hargneux à l'encontre des maigres, et vous fuyez toute discussion concernant la nourriture et les diètes. Il ne reste plus qu'un vague souhait: «Si je fais mine de l'ignorer, ça passera.»

LE BOUT DE LA ROUTE

Mais, au lieu de passer, les choses s'aggravent! La nourriture a désormais cessé de vous aider, mais vous continuez à vous forcer jusqu'à la nausée. Vous devenez incapable de maîtriser vos émotions et, pour tout compliquer, vous commencez à ressentir *physiquement* des symptômes de manque quand vous tentez en vain de faire preuve d'un peu de volonté. La nourriture a cessé de vous faire du bien mais, en l'absence d'autre remède, vous replongez toujours dans le même cycle infernal. Manger, toujours manger. Éternel recommencement.

À l'occasion, à force d'être préoccupé par ce problème, vous connaissez même des périodes d'amnésie. Aujourd'hui ne compte pas; tout ira bien à nouveau «quand je serai mince». Ayant perdu la mémoire, vous arrivez à oublier les énormes quantités absorbées et, pendant vos brefs éclairs de lucidité, vous vous forgez des alibis de plus en plus complexes pour vous justifier.

Comme il vous est difficile d'admettre que vous avez désormais perdu pied, vous justifiez votre comportement insensé par des raisons extérieures. Comment se faire à l'idée que cette vieille compagne, la nourriture, se retourne contre vous et que, en dépit de tout ce que vous mangez, vous vous sentez toujours aussi mal luné, d'humeur maussade et déprimé. Alors la raison, c'est *eux*! «C'est ma vie de chien! Tout le monde réagirait comme moi: mon boulot et mon patron me stressent. Ce sont eux qui me forcent à manger.»

PRESQUE PRÊT...

Parvenu à ce stade, ce système d'alibis éclate à son tour. Vous voilà presque prêt à changer de vie et à abandonner votre obsession.

Mais votre attitude malhonnête face à la nourriture a déteint sur tout. Incapable de voir votre vie telle qu'elle est, celle-ci vous apparaît comme une sorte de brouillon. *La vraie vie commencera après avoir maigri*, dites-vous. Hélas! pour avoir fait trop de promesses non tenues, vous avez perdu confiance en vous. Vous adoptez un comportement perfectionniste ou vous alléguez une sorte de statut d'«invalide»; vous vous plaignez à tout un chacun et vous prétendez que vous «n'y pouvez rien». Et, même au plus mal, vous cherchez à attirer l'attention sur vous en résumant toute votre personnalité à votre problème de poids. Vous essayez d'en sortir, mais, ignorant du remède, vous échouez et replongez dans les mêmes excès. Ce qui, autrefois, résolvait vos difficultés fait problème à son tour. Avec un peu de chance, vous devriez vous rendre compte qu'il est temps de mettre un terme à ce yo-yo infernal.

C'est alors que vous comprendrez le sens de votre vie. On ne peut faire les choses que lorsqu'on est prêt. Quand vous le serez, vous n'en aurez pas assez de la nourriture et de ses conséquences, *vous en aurez assez d'être toujours malade et fatigué.*

3

ÊTES-VOUS
CODÉPENDANT ?

Par codépendants (d'un boulimique ou d'un ano-rexique), on désigne tous ceux dont la vie interfère avec celle d'un M.C. Le codépendant ne semble avoir d'autre vocation que de soigner le désordre alimentaire de l'autre et de se mettre à son service.

Jusqu'ici le traitement des troubles de l'alimentation a souvent négligé leur rôle. Pourtant celui-ci s'avère capital: il entretient le désordre alimentaire. Au début des années 1960, lorsque furent mis sur pied les traitements de l'alcoolisme, personne ne prêta attention à la famille du malade. On supposait qu'elle n'exprimait pas de besoin particulier et qu'elle ne serait que trop heureuse de voir le malade renoncer à boire.

Mais bien au contraire, on constatat que, lorsqu'une femme arrêtait de boire, son mari présentait bientôt des signes de dépression. On vit également certaines familles saboter sciemment un traitement de désintoxication: on souhaitait que l'alcoolique se remette à boire! Et quand, par chance, le traitement réussissait, de nombreuses épouses autrefois «dévouées» demandaient le divorce. Elles avaient partagé les mauvais jours, mais à l'aube du changement elles préféraient partir! Souvent, elles finissaient par épouser un autre alcoolique. J'ai ainsi soigné une femme plusieurs fois remariée à des alcooliques. À chaque divorce, elle jurait qu'on ne l'y prendrait plus, mais, faute de se reconnaître comme codépendante, elle était vouée à toujours retomber dans le même cycle sans fin.

La guérison d'un M.C. pose des problèmes qui nécessitent un changement d'attitude des codépendants. Ce livre se propose de les aider.

Nous sommes tous des codépendants. C'est évident. Nos vies ont toutes été affectées par les troubles alimentaires d'un proche. Nous cherchons à aider, à soigner, mais nous nous sentons surtout frustrés de notre incompétence.

Avant de proposer un diagnostic spécifique de la codépendance, nous devons tenter de comprendre la manière dont nos vies s'enchevêtrent.

L'OUVERTURE AUX AUTRES

Par personnalités «ouvertes», nous désignons les gens qui n'ont pas une idée des limites de leur ego, ceux qui ne savent pas très bien faire la différence entre eux et les autres. Entre tous les humains, il existe toujours un certain va-et-vient: «Votre écharde sous le doigt me fait mal...» Cette conscience – cette perception d'autrui, cette façon d'entrer «dans la peau» des autres – constitue souvent une qualité. C'est cette capacité d'ouverture qui donne les grands acteurs, les infirmières dévouées ou les bons docteurs. En tant que codépendant, cette qualité d'ouverture aide également dans les situations graves: elle donne la perception du besoin des autres.

En famille, cette ouverture engendre parfois un réseau de liens si complexes que chacun perd son identité au service de l'autre. Dans le cas de familles de toxicomanes, cela devient un écheveau inextricable que seul un travail intensif peut démêler. Il faut apprendre à chaque membre de la famille à parler pour lui-même et à affirmer sa spécificité.

[Sans doute croyez-vous savoir ce que pense l'élu de votre cœur avant même qu'il n'ait parlé. Vous avez peut-être raison, mais prétendre ainsi tout savoir de quelqu'un traduit une forme d'irrespect. Vous lui ôtez toute chance de se sentir vivre par lui-même. Vous vous privez également de toute possibilité de surprise ou de découverte de nouveaux aspects dans votre relation.]

Pour guérir, il vous faudra changer toutes les règles du jeu.

On peut avancer sans crainte qu'un codépendant est *un drogué à la drogue d'un autre.* Les codépendants se font un devoir de soigner les M.C.: trouver un remède aux problèmes de l'être cher devient leur obsession. Avec un boulimique ou un anorexique, ils se transforment en prescripteur de régime ou en distributeur de nourriture. Souvent, ils ont plaisir à discuter des problèmes de leur M.C., alors qu'il leur est très difficile d'évoquer leur propre vie.

Il est important de noter qu'un M.C. peut également être codépendant. Une personne qui souffre de surpoids s'entoure d'autres obèses dont elle s'occupe au lieu de se soigner elle-même. Cela peut aboutir à un véritable «pacte mutuel de suicide» lorsqu'il s'agit d'un alcoolique et d'un M.C.: «Je n'évoquerai pas ta façon de boire si tu ne parles pas de mes habitudes alimentaires.»

Bien au-delà des soins normaux, un codépendant s'implique dans la vie du M.C. jusqu'à le poursuivre avec insistance pour résoudre son problème. Une jeune anorexique exerce une tyrannie sur sa mère tantôt en exigeant, tantôt en repoussant la nourriture. Le codépendant se met alors à souffrir autant, si ce n'est plus, que le M.C. Cela se vérifie particulièrement avec l'anorexie lorsque des parents, terrifiés et bouleversés, se heurtent à leur fille qui, en haussant les épaules, grogne: «Y a pas de problème!»

Une authentique compassion aide à guérir son prochain; souffrir plus que lui n'est d'aucune utilité.

Peut-être lisez-vous ce livre parce que vous êtes sentimentalement lié à une personne souffrant de troubles alimentaires. Vous en êtes très vraisemblablement affecté, vous vous sentez fortement investi d'une mission d'aide. Au point que vous vous montrez plus soucieux de la vie de cette personne qu'elle ne semble l'être elle-même. Vous fournissez toute l'énergie et l'élan de cette relation, tandis que votre M.C., lui, est *parti manger*!

Si c'est le cas, les comportements suivants, qui caractérisent le risque de codépendance, vous concernent:

- Je me sens plus sûr quand je donne.
- Je comprends mieux tes désirs que les miens.
- Je suis très soucieux de ton aspect, parce que tu es mon reflet.
- Quand tu te blesses, je le ressens encore plus que toi. Si ta journée n'a pas été bonne, c'est moi qui réagis.
- Si tu as un problème, je crois de mon devoir de t'apporter la solution.
- J'ai besoin qu'on ait besoin de moi.
- Je ne me soucie pas de moi-même, je préfère m'intéresser à toi.
- Avant de parler, je réfléchis soigneusement à l'effet que cela aura sur toi.
- Je trouve intolérable qu'on puisse m'en vouloir.
- J'ai limité mes activités sociales pour m'occuper principalement de toi.
- Je me concentre énormément sur tes problèmes afin d'éviter d'avoir à penser aux miens.
- Je critique et je juge, mais ensuite j'en ai des remords.
- Je crois que j'arriverai à te convaincre de t'aimer.

Les codépendants nécessitent autant d'aide que ceux qui souffrent d'un trouble alimentaire. Ils ont besoin d'être assistés pour prendre soin d'eux-mêmes sans culpabiliser ou se sentir outre mesure responsables. Chaque fois que je donne une conférence sur ces aspects familiaux des troubles alimentaires, les spectateurs s'attendent à ce que j'aborde trois sujets, toujours les mêmes :

1. les aspects *génétiques* de l'obésité ;

2. la manière dont les familles doivent s'adapter aux *nouveaux programmes alimentaires* ;

3. la façon dont elles peuvent *aider* au mieux la personne au régime à s'y maintenir.

Or, ma conférence n'aborde aucun de ces trois points. En ce qui concerne la nutrition, je recommande de s'adresser à des diététiciens ou à des organisations comme les Outremangeurs Anonymes. Le programme alimentaire n'est pas du ressort des familles ; enfin, concernant la question de l'hérédité, il importe peu, à ce stade, de savoir comment on en est arrivé là.

Nous avons tous besoin d'aide pour nous en sortir. La discussion doit donc se centrer sur la manière dont les codépendants peuvent obtenir de l'aide pour se détacher, tout en conservant leur amour pour le patient.

ÊTES-VOUS CODÉPENDANT ?

Vérifiez à l'aide de ce questionnaire l'importance de votre implication. Notez vos réponses dans votre journal personnel.

- Imposez-vous un régime à quelqu'un ?
- Menacez-vous de le quitter à cause de son poids ?
- Vous assurez-vous qu'il suit bien son régime ?
- Lui faites-vous des promesses liées à la perte ou au gain d'un certain nombre de kilos ?

- Cachez-vous la nourriture à celui qui mange trop?

- Vous faites-vous constamment du souci pour celui qui ne mange pas assez?

- Vous arrive-t-il de «marcher sur des œufs» afin de ne pas déranger celui qui mange trop ou trop peu?

- Jetez-vous la nourriture pour que celui qui mange trop ne la trouve pas?

- Vous est-il arrivé d'excuser les sautes d'humeur erratiques et parfois violentes qui suivent ses excès de consommation de sucre?

- Modifiez-vous vos activités sociales afin que celui qui mange trop ne soit pas tenté?

- Gérez-vous le budget familial afin de contrôler les sommes consacrées à la nourriture et aux vêtements?

- Achetez-vous et préconisez-vous certains aliments que vous considérez comme «bons»?

- Préconisez-vous l'exercice physique, la thalassothérapie et les cures miracles?

- Vous lancez-vous dans de grandes tirades passionnelles quand vous surprenez le boulimique en flagrant délit?

- Êtes-vous perpétuellement déçu quand vous constatez une rechute?

- Avez-vous honte de l'apparence de celui qui mange trop ou trop peu?

- Le consolez-vous hypocritement lorsqu'il a honte de son apparence?

- Mettez-vous sa volonté à l'épreuve dans le seul but de le tester?

- Avez-vous baissé vos exigences?

- Votre propre poids varie-t-il en fonction de celui de la personne que vous aimez (il augmente quand le sien diminue)?

- Avez-vous cessé de vous préoccuper de votre propre apparence?
- Avez-vous des douleurs, des ennuis de santé?
- Faites-vous une forte consommation d'alcool, de somnifères ou de tranquillisants?
- Essayez-vous de le soudoyer au moyen de la nourriture?
- Parlez-vous de son physique avec lui ou avec d'autres?
- Pensez-vous que la vie serait idéale s'il rentrait dans le droit chemin?
- Remerciez-vous le ciel de ne pas être aussi «mal en point» que lui?
- Son trouble de l'alimentation vous donne-t-il une excuse pour fuir?
- Son trouble de l'alimentation vous donne-t-il une excuse pour rester?
- Laissez-vous «discrètement» traîner çà et là des documents qui «pourraient l'aider»?
- Lisez-vous des ouvrages traitant de régimes sans avoir vous-même un problème de poids?
- Estimez-vous vivre dans un foyer idéal, mis à part le problème du M.C.?
- Prenez-vous des somnifères pour vous abrutir et oublier vos soucis?
- Au cours de votre propre thérapie, avez-vous passé beaucoup de temps à parler de votre M.C.?

Si vous avez trouvé une certaine pertinence dans ces questions, ce chapitre vous montrera l'intérêt de vous détacher émotionnellement des problèmes de l'être qui vous est cher. Nous vous enseignerons comment continuer à partager son amour sans avoir à aimer son comportement alimentaire, et comment vous intéresser plus à lui sans vous impliquer autant.

La clé consiste à faire que ce problème devienne plus *le sien* que *le vôtre*. Tant que vous continuez à vous soucier de son comportement alimentaire, *vous le dispensez de s'en préoccuper lui-même*.

Le détachement est la meilleure forme d'aide.

DES CENSEURS PERMISSIFS

Les codépendants ne cessent d'osciller très rapidement entre ces pôles extrêmes que sont la permissivité et la punition. À un instant donné, ils sont excessivement protecteurs, dévoués et conciliants, et dans la seconde qui suit ils explosent en menaçant de tout laisser tomber.

En tant que codépendant, vous cherchez à aider, car vous souhaitez «changer les choses», «jouer un rôle» et «être méritant». Mais quand vos efforts échouent, vous vous mettez en colère, n'hésitant pas à punir et à exiger immédiatement la perfection. Toutes vos tentatives d'aide ne sont qu'un moyen de prouver que vous êtes «quelqu'un de bien». Et si le M.C. ne s'amende pas, vous le prenez comme une offense personnelle.

Au fur et à mesure de vos échecs, les promesses non tenues du M.C. vous déçoivent et vous font perdre patience. Vous oscillez entre une certaine «compréhension» du problème et les explosions de rage. Vous commencez à croire qu'il le fait exprès *contre vous*. Certes, il «le fait», mais bien plus contre lui-même que contre vous. Toujours à ronchonner, vous commencez à vous comporter comme une mégère obsédée par la surveillance de sa nourriture. À tous vos amis ou votre famille, vous ne cessez de faire des commentaires sur ses problèmes de poids et de régime. Vous cherchez à la fois à excuser ses débordements et à montrer que vous vous démenez activement pour l'aider. Mais en fait, ce n'est pas votre boulot !

Dans ce type de relations, les difficultés apparaissent dès que les messages sont brouillés. Alors que vous cherchez à bâtir une image de permissivité et de secours, vous êtes en fait fou de rage.

Les dents serrées, le sourire glacial, vous lâchez: «Tu ne vas pas manger ça, n'est-ce pas, mon amour?» Puis à quelque temps de là, épuisé par cette attitude, vous craquez en disant: «Ça me rend malade de continuer à payer l'addition pour toi et de te voir te suicider ainsi. Si tu n'arrêtes pas, c'est fini entre nous.» Malgré ce discours, vous passez encore l'éponge et renoncez à vos menaces. Ainsi personne ne croit plus personne. Et le cycle se perpétue...

LES CENSEURS

Après avoir partagé pendant des années les problèmes de sa femme Melinda, Steve, en accord avec elle, a décidé qu'il contrôlerait désormais son poids. Tous les matins, il la surveille quand elle monte sur la balance de la salle de bains et, le graphique à la main, il inscrit le chiffre du jour. Avec ce système, Melinda, dès le premier mois, a pris 15 kilos! En s'impliquant, Steve n'a fait que déclencher la culpabilité et la crainte, et, pour combattre son angoisse croissante, Melinda mange «à cause de lui».

Un tel cas n'est pas rare. Souvent les maris cherchent à seconder leur femme, alors qu'ils sont en fait les moins aptes à le faire: ils sont trop impliqués et trop investis dans un éventuel succès. De plus, une certaine crainte inconsciente de la réussite peut les conduire à saboter leur action.

En 1979, des chercheurs de l'Université de Pennsylvanie se sont intéressés à cette implication maritale en étudiant l'attitude de maris dont les épouses étaient inscrites à un programme d'amaigrissement. Les questions posées livrent d'intéressants résultats.

1. Souhaitez-vous que votre épouse maigrisse?

   OUI   50

   NON   3

   SANS OPINION 2

2. Souhaitez-vous aider votre épouse à maigrir?

OUI   27

NON   17

SANS OPINION 11

3. Votre épouse est-elle plus grosse actuellement que lors de votre mariage?

OUI   41

NON   8

SANS OPINION 6

(Notez les différences de réponses aux deux premières questions. Une forte majorité de maris souhaitaient l'amaigrissement, mais l'intérêt retombait immédiatement dès qu'on sollicitait leur aide. Les réponses à la quatrième questions sont, à cet égard, très significatives.)

4. Que signifierait pour vous, *personnellement*, une perte de poids de votre épouse?

La *perte* d'une complicité à table   29

La *perte* d'une position avantageuse
dans les discussions   27

Le divorce et la *perte* de l'épouse   21

Des *inquiétudes* sur sa fidélité   17

Remarquez à quel point les notions de peur et de perte transparaissent dans ces réponses. Selon leurs propres termes, ces hommes craignent avant tout de perdre une compagne pour faire la noce et, deuxièmement, de perdre l'avantage de pouvoir dire: «Qu'est-ce t'en sais, toi, la grosse?» Au lieu d'anticiper la joie de retrouver une épouse attirante, ils craignent que l'assurance nouvellement acquise de leur compagne ne vienne perturber leur relation conjugale. Ces femmes seront désormais libres de divorcer ou de les tromper, et les sentiments de perte ou de crainte prévalent donc sur l'anticipation de la joie de la réussite.

Pour s'engager dans la voie de la perte de poids, les conjoints ne sont pas les meilleurs soutiens. En dépit de leurs bonnes intentions, ils ont trop d'intérêts en jeu.

D'autres études montrent qu'un mari exerce généralement une influence plus néfaste que positive sur les projets de son épouse. Au moyen d'enregistrements vidéo, on a «ausculté» des couples qui suivaient un régime pour déterminer leur comportement face à la nourriture.

Alors que les épouses cherchent à détourner leur attention de l'alimentation, les maris ne cessent de les y ramener en multipliant les questions faussement anodines sur les repas ou les menus. À table, ils sont toujours les premiers à offrir à leur épouse de les resservir: on dirait qu'ils s'efforcent de montrer à quel point ils sont conciliants et «désintéressés». Mais, par contre, lorsque leur femme commet un écart, ils sont aussi les premiers à la critiquer ou à se moquer d'elle. Alors qu'ils s'avèrent incapables de les féliciter de leurs efforts, ils ne sont que trop prompts à blâmer leurs manquements.

Ces études permettent d'affirmer que les êtres les plus chers d'une personne ne s'intéressent au succès de sa perte de poids que s'ils la contrôlent. S'ils sont impliqués et peuvent en tirer avantage, les conjoints aident; si ces efforts ne sont qu'au bénéfice de l'autre, ils n'hésitent pas à saboter son action.

Cette idée se retrouve tout au long de cet ouvrage, et vous verrez que souvent les proches, pensant avoir plus à perdre qu'à gagner, cherchent inconsciemment à dévier le M.C. du droit chemin.

Dans un couple, la meilleure façon d'aider et de s'impliquer consiste à adopter une attitude désintéressée mais active. Il faut témoigner de son attention et de son soutien, mais bien faire comprendre que, quoi que fasse le M.C., c'est toujours pour son compte qu'il agit! Pour parler plus crûment, il faut savoir se contenter de balayer devant sa porte.

- **Vive la compagnie !**

Parfois certains métiers privilégient une apparence physique et un poids précis, et l'employeur devient ainsi le «contrôleur» de l'alimentation.

Par le passé, j'ai eu l'occasion de soigner des centaines d'agents de bord travaillant pour des compagnies aériennes où on vérifiait fréquemment le poids du personnel. Or, ces entreprises exigeaient la perfection et imposaient des critères irréalistes. En effet, on ne peut pas demander à une agente de bord de quarante ans de peser le même poids que le jour de son embauche. (Il y a plusieurs années, une compagnie avait proposé une échelle flexible autorisant les employés à prendre 1,5 kilo *tous les dix ans*!) Contrairement aux apparences, balance et compétence ne riment pas...

Une telle procédure ne pouvait qu'engendrer des déboires. L'employée en surplus de poids se contentait de se déclarer malade le jour du contrôle, puis se jetait sur des amphétamines pour se couper l'appétit et absorbait quantité de laxatifs et de diurétiques pour maigrir rapidement. Ainsi redescendue dans la limite de poids acceptable, elle se faisait alors contrôler. Tant que cette limite était respectée, tout allait bien. Peu importe si, dès le mois suivant, elle allait reprendre 10 kilos! Cependant, dans certains cas, les employés outrepassaient tellement le poids imposé qu'ils étaient obligés de se mettre en congé de maladie pour une longue période et ne cessaient de se torturer pour répondre aux critères.

Face au stress d'une vérification de poids, certaines personnes souffrant de troubles de l'alimentation peuvent même, avec une certaine perversité, saboter toute chance de succès en se jetant au contraire sur la nourriture pour se consoler.

Annette, qui briguait une place dans l'administration, avait déjà soutenu avec succès quatre entretiens qui lui avaient permis d'être retenue parmi une foule de candidats particulièrement compétents. Il ne restait plus qu'un examen médical. Annette paniquait. Elle savait qu'elle ne «passerait pas». Elle fut soulagée d'apprendre qu'elle n'avait que 2 kilos à perdre en une semaine pour entrer dans les critères requis. Elle se dit alors que, si elle sautait tous les repas pour les remplacer par quelques petites collations sans conséquences, elle réussirait. Mais, en fait, elle prit 5 kilos dans la semaine...

Voilà quel fut l'effet des vérifications de poids!

REGARDER MOURIR L'AUTRE...

Quand on se retrouve éreinté d'avoir vainement tenté d'aider un être cher à maigrir, on en arrive parfois à se contenter de le *regarder mourir...*

Face au lent suicide du M.C., l'inutilité de la lutte quotidienne laisse sans espoir. On éprouve le sentiment bien connu de ceux qui veillent un malade chronique: à observer les progrès de la maladie jour après jour, on n'ose plus entretenir d'espoir. Il n'y a place désormais qu'à la dépression et à l'isolement.

Ne voyant aucune fin à ces souffrances, vous avez l'impression d'aimer une sorte de fantôme, certes présent physiquement, mais dont l'esprit est ailleurs depuis bien longtemps. Celui que vous aimez préfère maintenant trouver sa consolation dans la nourriture plutôt qu'avec vous. Vous vous sentez furieux de cet abandon; mais comment en vouloir à un malade?

Le doute et l'angoisse chronique s'installent et, par moments, vous en venez même à souhaiter sa mort. Voilà qui mettrait un terme à toutes ces souffrances; la vie avec un M.C. ressemble trop à un calvaire. Comme vous vous sentez coupable d'avoir souhaité sa mort, vous surcompensez en vous montrant excessivement dévoué et charitable.

Ce type d'animosité ne débouche que sur des luttes de pouvoir ou, au mieux, des négociations pour exercer le contrôle.

Toutes ces escarmouches ont aussi des retombées sur les innocents, comme les enfants, souvent témoins des batailles de leurs parents au sujet de la nourriture.

Quand j'ai connu Cassandra et Elliott, elle pesait 150 kilos et lui se droguait aux tranquillisants. Leur mariage ressemblait à une tornade. Dès le premier jour, chacun avait tenté de prendre le pouvoir. La façon de s'alimenter de Cassandra et l'entretien de la maison confié à Elliott étaient les principales pierres d'achoppement. La lutte ne cessait de dégénérer, Cassandra n'arrêtant pas de grossir et la maison ressemblant de plus en plus à un dépotoir. De manière tout à fait inattendue, le couple vint me consulter pour l'incontinence nocturne de leur fils âgé de huit ans. Cette incontinence, pensaient-ils, était leur principal problème.

Au cours de nos entretiens, leur état dépressif général est vite apparu. Chacun avait l'impression d'avoir trahi l'autre, et tous deux sombraient dans la dépression. Ils sentaient confusément qu'ils devaient faire quelque chose. Lorsque Elliott avait finalement renoncé à aider Cassandra à maigrir, cela avait déterminé en lui un état dépressif qu'il avait combattu avec des tranquillisants. Chacun regardait l'autre s'acheminer vers sa mort. Et l'enfant, ne sachant comment montrer son désarroi, faisait pipi au lit.

Lorsque Cassandra commença à se reprendre en main pour assumer la responsabilité de ses troubles alimentaires, Elliott cessa de se soucier et entreprit de nettoyer la maison. Depuis, il a repris espoir dans les capacités de sa femme et joue désormais pleinement son rôle au sein de la famille.

Et le petit ne fait plus pipi au lit.

UNE SAINE NEUTRALITÉ

Si s'impliquer outre mesure avec un malade n'est d'aucune aide, il en va de même, évidemment, quand on se contente d'ignorer le problème. Une saine neutralité consiste à s'intéresser au problème sans le prendre entièrement à sa charge. On doit apprendre à exprimer sa sollicitude tout en montrant clairement que la vie continuera de toute manière. Une telle attitude peut paraître orgueilleuse ou peu charitable. Elle est parfaite.

Il faut cesser de vouloir guérir les gens et leur dire simplement qu'on les aime, guéris ou pas. Après avoir constaté que tous nos efforts pour contrôler l'autre ou l'aider restent inopérants, il faut trouver une autre voie. Cette méthode, c'est le «lâcher-prise». Méthode facile en apparence, mais qui, pour un codépendant, tient de la gageure. On doit donc apprendre à dire «non» – pour de vrai – et laisser tous les problèmes du M.C. à celui qui en souffre réellement. En thérapie de groupe, on pourra utilement discuter de nos difficultés avec d'autres codépendants, élargir ainsi notre noyau familial et découvrir que l'on n'est pas seul face à ce problème.

«JE N'AI D'YEUX QUE POUR TOI»

Le codépendant agit comme un miroir reflétant l'image du M.C. Mais ce reflet est déformé. Le codépendant trouve justifié le fait d'exercer un contrôle sur la vie de son prochain, et le M.C. a besoin du codépendant pour lui dire quoi faire.

Souvent le codépendant affirme comprendre mieux les sentiments du M.C. que celui-ci, et il n'est pas rare de l'entendre dire: «Je sais ce que tu penses.» Pour toute réponse, le M.C. se contentera de se taire ou d'éclater en sanglots. Quitte à se venger en douce sur la nourriture. Cela renforce la conviction du codépendant: «J'ai sûrement raison puisqu'il ne réplique même pas.» Ainsi les deux s'associent pour instituer, d'un côté, le mythe de l'incompétence et, de l'autre, celui de l'infaillibilité. Le M.C. continue en silence à essuyer des échecs, tandis que le codépendant ne cesse d'expérimenter et de prôner de nouveaux soins. Le codépendant vit ainsi avec son fantasme jusqu'à ce que les troubles alimentaires éclatent en pleine lumière. Il commence alors à s'étonner que quelqu'un «d'aussi bien contrôlé», quelqu'un «qu'il soigne personnellement» puisse ainsi continuer à grossir.

Le poids du M.C. devient alors le symbole de toute l'inutilité des efforts du codépendant.

SUIS-JE VISÉ?

Un codépendant s'estime plus comme un «donneur» qu'un «receveur». Si vous êtes dans ce cas, il vous est donc très difficile d'accepter l'idée que vous avez besoin d'aide. Vous vous dites sûrement des phrases du genre:

- En quoi ce discours me concerne-t-il? J'essaie simplement d'aider quelqu'un que j'aime.
- N'ai-je pas proposé d'offrir une récompense pour chaque kilo perdu?
- N'ai-je pas proposé de garder les enfants pendant qu'il (ou elle) allait assister aux réunions des *Weight Watchers*?
- Ne lui ai-je pas acheté une nouvelle garde-robe à sa taille?
- Ne lui ai-je pas rappelé gentiment son régime chaque fois que je constate un écart?
- Ne l'ai-je pas aidé à préparer tous ses plats de régime?
- N'ai-je pas contribué à payer toutes ses séances au gym pourtant si onéreuses?

«Comment, dans ces conditions, dire que c'est moi qui ai besoin d'aide?» La réponse n'est pas évidente. Elle est même difficile à comprendre. Pourquoi vous demande-t-on de vous poser des questions *sur vous-même*? Vous pensez: «En quoi cet examen aidera-t-il le M.C.?» La question est pertinente, mais en lisant ce livre vous comprendrez que, en apprenant à vous occuper de vous-même, vous aiderez le M.C. à assumer ses propres responsabilités. Et vous établirez tous deux une nouvelle relation plus saine, à la fois d'indépendance et de dépendance mutuelle.

Que vous soyez conjoint, ami, père ou mère, frère ou sœur, employeur, collègue ou simplement témoin, vous avez tous vécu la même expérience. Vous avez vu un être cher devenir de plus en plus obsédé par la nourriture et s'éloigner progressivement de vous. Vous avez assisté à un lent suicide. Cela vous a profondément affecté et vous en êtes tombé malade à votre tour. L'intérêt que vous portez à ce problème est devenu obsessionnel.

La liste suivante décrit cette progression de la personnalité codépendante. Examinez-la en détail.

ÉVOLUTION DE LA PERSONNALITÉ CODÉPENDANTE

La liste suivante vous permettra de mesurer votre évolution.

- *La phase initiale*

La personnalité codépendante :

- a souvent vu le jour au sein d'une famille dysfonctionnelle et a appris l'«investissement en autrui» comme mesure de l'estime qu'elle se porte.

- n'ayant pas réussi à soigner ses parents, elle essaie donc de «guérir» un M.C.

- se trouve un M.C. en difficulté qu'elle tente de contrôler.

- commence à mettre en doute sa propre valeur et décide de contrôler l'alimentation de l'autre afin de prouver sa force de caractère.

- voit sa vie sociale perturbée. Elle s'isole de la communauté afin d'«aider» le M.C.

- *L'obsession*

La personnalité codépendante :

- multiplie menaces et suppliques à propos du comportement alimentaire de l'autre.

- se considère et se ressent comme la cause de la suralimentation ou de la sous-alimentation.

- cache la nourriture.

- tente de contrôler la consommation de nourriture en la cachant, en menaçant l'autre, en le harcelant et en le réprimandant.

- témoigne colère et déception vis-à-vis des promesses non tenues du M.C.

• *La vie intérieure*

La personnalité codépendante :

- fait une véritable obsession de la surveillance et de la dissimulation de la nourriture.

- endosse les responsabilités du boulimique ou de l'anorexique.

- occupe un rôle central dans la communication en excluant tout contact entre le M.C. et les autres.

- manifeste une colère disproportionnée.

• *La perte du contrôle*

La personnalité codépendante :

- fait de violentes tentatives pour contrôler la consommation de nourriture de l'autre. Elle se bat en permanence contre le M.C.

- se laisse aller physiquement et mentalement.

- a des activités extra-conjugales telles que : infidélité, acharnement au travail, préoccupation obsessionnelle pour des activités extérieures.

- devient rigide et possessive. Elle semble fâchée en permanence, mais reste prudente et secrète vis-à-vis de ce qui se passe chez elle.

- présente des troubles associés (ulcères, éruptions, migraines, dépression, obésité, usage de tranquillisants) et abuse de médicaments.

- perd fréquemment son calme.
- finit par se lasser d'être toujours malade et fatiguée.

LE DÉVELOPPEMENT DE LA CODÉPENDANCE

De la même manière que personne ne souhaite être aux prises avec des troubles alimentaires, vous n'avez pas demandé à devenir un codépendant. Personne ne niera vos bonnes intentions. Vous avez fait de votre mieux. Mais étudions plutôt l'évolution de la situation.

• *L'hérédité*

Comme les anorexiques ou les boulimiques qui ont appris à soulager leur stress avec la nourriture bien avant de connaître un autre choix, les codépendants sont devenus des «chiens de garde» sans en avoir conscience.

Souvent les codépendants ont vu le jour dans des familles dysfonctionnelles, marquées par la présence d'alcooliques ou de toxicomanes et, très tôt, la souffrance de leurs proches les a culpabilisés. Ce sentiment de responsabilité est le plus clair indice de la codépendance.

Enfant, on s'imagine être le centre du monde et, par conséquent, être à l'origine de tout ce qui arrive à la famille (certains persistent jusque dans l'âge adulte...). Dans une famille de toxicomanes, face à la souffrance des parents, l'enfant endosse la responsabilité de cette douleur. N'avez-vous pas déjà entendu des parents se plaindre: «Je serais bien plus heureux sans enfants!» Ou encore des mères, battues par leur mari, sangloter: «Si c'était pas pour vous, les enfants, je quitterais ce salaud!» Voilà comment un enfant est contraint à culpabiliser. Si telle fut votre jeunesse, vous étiez déjà programmé avant même de pouvoir vous en rendre compte.

• Le rôle du chien de garde

Dans un tel cadre familial, on attend rarement de l'affection des autres. On ne sait pas *recevoir*. On apprend à *se soucier* des autres. Ainsi, la valeur personnelle se mesure aux soins et au dévouement que l'on prodigue.

N'ayant pas réussi à «soigner» vos parents dont les problèmes ont empiré malgré vos efforts, vous en avez retiré une sensation d'échec. Ce sentiment d'une vocation non accomplie vous pousse alors à vous tourner vers ceux qui souffrent pour les soulager. De nombreuses personnes – médecins, psychologues, assistantes sociales ou infirmières – n'ont embrassé leur carrière que pour combattre cet échec de l'enfance. Épouser un M.C. participe de la même idée.

• Se marier pour soigner

Après avoir échoué à soigner vos parents, vous vous trouvez un compagnon dans le besoin. Votre but: le guérir. Et gagner enfin cette médaille pour avoir aidé *quelqu'un* que vous aimez. Quand vous vous engagez dans cette mission, vous croyez contrôler l'autre. Mais en fait vous ne dirigez personne. Les troubles alimentaires de l'autre, pas plus que la dissension qui régnait entre vos parents, ne sont de votre ressort. Peu importe ce que vous tentez ou pas. Épouser une personne «à problèmes» n'est qu'un moyen d'éviter la confrontation de vos propres problèmes. Vous voudriez bien être «à l'écoute» mais ne savez pas comment. Et il vous arrive même de vous lamenter: «Pourquoi n'est-ce jamais moi qui me repose sur les autres?»

Cependant, vous ne gémissez qu'une fois seul. Car le lien avec le M.C., même s'il vous mine, vous permet de conserver votre sécurité.

• Le contrôle, clé du succès

Tant que progressent les troubles alimentaires, le codépendant se livre, lui aussi, à une escalade.

Au début, ce sont des prières implorant de cesser. Mais, devant leur inefficacité, il passe aux menaces déguisées ou aux récompenses : «Je t'offre 10 $ par kilo perdu» ou : «Si tu entres dans ton nouveau maillot de bain, on part en croisière.»

Mais quand ces nouvelles tentatives se révèlent à leur tour infructueuses, il commence à se dévaloriser. Dans cette entreprise de guérison, son ego et sa personnalité sont désormais intimement liés à la réussite du malade. L'échec du M.C. est aussi le sien. Par peur de faillir, l'escalade continue et le codépendant menace même de tout *plaquer*. Cependant, il arrive que le M.C. se rebiffe et fasse de même. Parvenu à ce stade, le codépendant le supplie souvent de rester, car il se retrouve coincé dans le même cercle vicieux que durant sa jeunesse : être ferme puis reculer. Dans l'ordre : aider puis punir, ensuite se sentir coupable. L'escalade peut atteindre des sommets comme cacher la nourriture, fermer le garde-manger à clé, réprimander et tempêter. Pourtant, malgré tous les efforts du codépendant, le trouble alimentaire ne cesse de se développer.

- **Proprement ulcéré**

Maintes fois, le M.C. a promis. Et maintes fois, il n'a pas tenu parole. En dépit de ses efforts et de ses soins, le codépendant n'est pas gratifié de ce titre de «bienfaiteur» qu'il escomptait. Le voici furieux.

Il n'a cessé d'endosser les responsabilités du M.C. Au début, ce fardeau ne pesait que du poids de l'amour : c'était bon de donner. Mais cette charge, qu'il croyait temporaire, commence à lui peser, et le voilà qui renâcle. S'il est «le centre nerveux de la famille», il se retrouve accablé, surchargé à tout vouloir régimenter. Il voudrait bien alors que le M.C. assume sa part du fardeau.

Le M.C. connaît des sautes d'humeur selon qu'il est en période d'excès ou d'abstinence. Désireux de protéger les autres, le codépendant se transforme en centrale de communication pour tout son entourage, répétant et interprétant les conversations afin de préserver chacun. «Maman a eu une rude journée aujourd'hui. Elle ne pensait pas ce qu'elle a dit.»

Malheureusement, en tant que codépendant, ce rôle vous pèse. À toujours analyser et devancer les émotions des autres, vous n'avez jamais le temps de mettre vos propres sentiments au clair. Il est vrai que, la plupart du temps, vous ne remarquez même pas la contrainte que vous vous infligez.

Vous devenez si *ulcéré* que cela se manifeste parfois sous forme... d'ulcères, de colites, de migraines ou autres troubles physiques. Au fil des jours, votre rôle vous pousse à exprimer le ressentiment refoulé. Après avoir si longtemps mijoté intérieurement, la colère menace d'éclater au grand jour de manière inopportune, gênante ou humiliante. Les codépendants ont souvent l'air perpétuellement bougons, sans que personne n'en comprenne la raison. Normal. Le M.C., grâce à son tranquillisant favori, s'en tire bien, tandis que vous faites face aux problèmes familiaux avec conscience. Et sans l'aide de la nourriture!

Cependant, le silence derrière lequel vous vous êtes réfugié ne fait qu'un temps. Soudain, vous explosez en une violente scène de colère, au moment où l'on s'y attend le moins. Aussitôt, la culpabilité et la gêne vous envahissent et vous vous répandez en excuses. Vous affectez de marcher sur des œufs pour faire oublier votre récent éclat.

Le codépendant et le M.C. se renvoient ainsi la balle sans cesse l'un à l'autre. Tous deux, coupables, déboussolés, frustrés et nerveux, compensent en affectant une attitude d'excuses et de conciliation, alors qu'un tel comportement n'a d'autre effet que d'entretenir le malaise.

- **Tout le monde s'en moque !**

«Qui ne peut vaincre se laisse convaincre! Aider, se détacher, se mettre en colère, se taire, suggérer, consoler, rouspéter, menacer... **rien n'y a fait!**»

Vous vous êtes cramponné à votre équilibre précaire, oscillant entre le mutisme obstiné et les délires furieux. Mais la certitude et l'espoir ont déserté votre vie. Vous ne savez plus quoi attendre, ni de votre M.C. ni de vous-même; et pourtant, vous persistez à vous considérer comme apte à contrôler les événements. Il n'y a plus qu'une solution: abandonner.

Vous avez souvent été tenté de relâcher votre effort: «Pourquoi s'échiner si tout le monde s'en moque?» Vous décidez alors de rejoindre votre M.C. et de donner libre cours à vos propres excès.

À la suite d'une enquête informelle, j'ai découvert que 40% des épouses d'alcooliques souffraient d'obésité. Les codépendants tombent aussi souvent sous la dépendance des calmants ou tranquillisants prescrits par les médecins comme un remède à l'angoisse.

S'ENFUIR DE CHEZ SOI

Dans un tel contexte, la fuite ne consiste pas seulement à faire ses bagages et à claquer la porte. Le codépendant peut adopter un comportement de fuite en s'abstenant de toute implication sentimentale et en s'organisant des activités extérieures pour se redonner goût à la vie. Il s'agit en vérité d'un comportement de survie; même si elle s'impose au détriment de la structure familiale, la fuite est la seule façon de supporter une situation sur laquelle on n'a aucune prise.

Les expériences réalisées sur des singes ont mis ce fait en évidence. Ces animaux furent alternativement soumis à des séries de traumatismes et de récompenses sans qu'il leur soit possible à aucun moment d'en comprendre le sens. Quoi qu'ils fassent, il n'y avait pas d'échappatoire. À la fin, les singes se résignèrent à ne plus rien tenter. Lorsqu'un nouveau problème apparaissait, ils restaient prostrés, refusant désespérément toute nouvelle tentative. Ce processus, connu comme une «impuissance acquise», caractérise à merveille la personnalité du codépendant qui s'éloigne pour survivre.

Si on ne se décide pas à fuir et à couper les ponts complètement, il arrive qu'on cherche satisfaction dans des activités extérieures. Puisque l'estime que l'on a de soi est liée au fait d'aider les autres, on tente de devenir un soutien en dehors de ce foyer devenu synonyme d'échec. On peut ainsi devenir un «drogué» du travail, abattant douze ou quatorze heures de labeur par jour pour pouvoir enfin se dire: «J'en ai fait assez.» On s'implique dans des activités syndicales, professionnelles, sportives ou charitables, pour obtenir reconnaissance et approbation.

Plus la situation se dégrade à la maison, plus on se lance dans ces activités extérieures. Le M.C. soupçonne parfois une infidélité, mais c'est rarement le cas: on se sent bien trop mal pour se lancer dans une liaison.

• *Las et épuisé d'être toujours las et épuisé*

Le point d'écœurement est depuis longtemps atteint. Las et épuisé de vous sentir las et épuisé, vous voici enfin prêt à agir pour changer. Comme le M.C., vous atteignez un point critique où vous vous dites: «Ce n'est plus un jeu ou une pièce de théâtre: c'est ma vie qui est devenue un enfer. Il faut que j'apprenne à adopter un nouveau comportement.»

Certains se tournent alors vers la solution rapide et radicale du divorce, pourtant rarement efficace tant que la culpabilité subsiste et que la nature réciproque de la maladie n'est pas clairement définie. Et souvent, en se remariant, on replonge dans une situation identique.

Dans cette conjoncture délicate, on doit s'efforcer de comprendre son rôle et de définir ses besoins personnels dans la relation. Faute de quoi on ne fera que reproduire ailleurs un nouveau cycle infernal. À ce compte, autant continuer celui que l'on vit déjà.

4

POURQUOI SOMMES-NOUS ENSEMBLE ?

UN MANGEUR COMPULSIF DONNE PARFOIS DU FIL À RETOR-
dre à quinze ou vingt codépendants qui, tous, deviennent l'exten-
sion d'un autre, car leurs personnalités sont structurellement
complémentaires. Qu'un M.C. s'effondre, et le codépendant
s'efforce de lui redonner une nouvelle cohésion. À eux deux, ils
forment un être adulte normal. Mais entre eux, les rôles évoluent
et la répartition est parfois conflictuelle. C'est la nourriture qui
définit la place de chacun.

Lorsque la nourriture soutient le M.C. pour réaliser ses projets, le codépendant bénéficie de cette énergie. Lorsque, au contraire, elle engendre des situations où le M.C. se prend en horreur
et devient sujet aux dépressions ou aux crises irrationnelles, le
codépendant se mue en sauveteur et en consolateur.

Quand se développe l'obsession de la nourriture pour faire
face aux difficultés de la vie, en prédire les conséquences devient
de plus en plus difficile. Mais renoncer aux excès alimentaires
peut engendrer une altération totale de la personnalité. Disons, en

tout cas, que la nourriture cesse d'agir comme un mécanisme d'aide. Par ailleurs, les rechutes perpétuelles ne mènent à rien et leurs conséquences sont imprévisibles.

On se sait seulement «las et épuisé d'être toujours las et épuisé». On est proche de trouver enfin une issue. C'est le premier pas du cheminement vers la guérison.

Une personnalité «comme si»

Pour abandonner la nourriture, vous devez redéfinir votre situation dans le monde. Ce n'est pas un hasard si vous avez développé cette affection qui fait que votre corps ne cesse d'osciller. Votre moi intérieur essaie de se tailler une place qui lui soit propre, mais il ignore l'ampleur ou le volume qu'il doit occuper. La partie «honnête» de votre personnalité aspire à l'authenticité. Lorsque vous interprétez des rôles de composition, le corps témoigne de cette duperie. «Le corps ne triche pas, c'est la tête qui ment.»

Vous aviez travesti votre personnalité pour provoquer, pensiez-vous, l'amour et l'intimité. En fait, vous avez perdu votre authenticité. L'obésité est le prix de cet amour. La plupart du temps, ces efforts pour obtenir un peu d'amour remontent à la prime enfance avec l'élaboration de la relation mère-enfant, transposée ensuite dans l'âge adulte.

Ayant besoin d'amour autant que d'indépendance, vous êtes pris entre la crainte de vous faire piéger et le désir de vous faire prendre. Jusque-là, vous avez pu éviter cette dualité en vous jetant sur tout ce qui se mange. En perdant cette obsession de la nourriture, vous allez découvrir les aspects de votre personnalité que vous avez étouffés pour jouer les rôles qui devaient vous apporter l'amour.

PRISONNIERS DE L'ENFANCE

Les premières études sur les familles obèses, conduites dans les années 1940 par le psychiatre Hilde Brush, ont démontré que la mère d'un enfant obèse est peu sûre d'elle-même et entretient un sentiment mitigé à l'égard de sa progéniture. L'a-t-elle vraiment voulu ou pas? Souvent elle n'avait ni prévu ni souhaité cet enfant né tardivement.

Chaque mère est encore aujourd'hui frappée d'un tabou l'empêchant de manifester autre chose qu'une joie intense à la naissance de son enfant. On redoute que, dans le cas contraire, l'enfant puisse en être émotionnellement perturbé, alors que celui-ci a déjà tout compris.

Bouleversée par ses sentiments confus, la mère compense en surprotégeant l'enfant et en le nourrissant de manière excessive. Elle veut être sûre que le nourrisson se sente aimé et que la nourriture lui apporte la sécurité et la satisfaction qu'elle craint de ne pouvoir donner. À trop vouloir prouver son amour, elle fabrique un enfant dépendant, toujours dans les jupes de sa mère, auquel elle fait perdre tout goût d'activité physique ou de risque.

Une telle mère est souvent «perturbée» elle-même. Et lorsque l'enfant exprime un besoin imprévu, elle se répand en lamentations ou entre dans une sorte de compétition pour savoir qui est «le plus perturbé des deux».

Dans ce genre de foyer, le père, absent, faible ou manquant de personnalité, est souvent réprimandé avec mépris par la mère. Celle-ci, relevant du type «perturbé», ne cesse de le blâmer. Pour l'enfant, le message est clair: «Fais ce que tu veux, mais ne ressemble pas à ton père.» Cette dynamique engendre des femmes obèses qui, dans leur majorité, luttent pour s'opposer à la puissance masculine. Elles voudraient rencontrer un homme solide mais elles le redoutent. Bien plus, ne voulant intimider personne, elles craignent de montrer leur propre force.

En grandissant, ces enfants ne témoignent guère d'intimité avec le père. Ils ont l'impression de n'être que des objets appartenant à un homme surtout intéressé par son travail ou ses activités extérieures. En dépit de sa réussite professionnelle, les efforts du père, au sein de la famille, ne sont jamais reconnus. Il n'en fait jamais assez. Maman continue à se plaindre : on ne prend pas «ses désirs» en considération.

À l'occasion d'autres recherches, on a pu déterminer les professions paternelles prédisposant à l'obésité des filles. Viennent en tête les métiers de couturier, de producteur de cinéma et de spécialiste des troubles du métabolisme. Tout se passe comme si les filles choisissaient de ne pas jouer le jeu de la compétition. Si, dans l'exercice de sa profession, papa s'intéresse aux sveltes mannequins et aux belles actrices, ou prouve aux femmes ses compétences médicales, les filles, de manière déterminée, veulent se situer à l'opposé.

Briser les liens qui nous enchaînent

Malgré cette programmation acquise dès l'enfance, il vous faudra vous battre pour grandir et quitter le foyer. Et quand, devenu enfin adulte, vous vivrez votre vie, l'obsession alimentaire prendra alors un caractère totalement différent. Cela se vérifie, que l'on soit parti vivre à l'autre bout de la planète ou que l'on s'établisse simplement au coin de la rue. C'est vrai pour la jeune fille anorexique qui se bat pour faire son chemin à l'université, comme pour la mère de famille nombreuse de quarante ans qui se présente à tous – sauf à elle-même – comme la «mère nourricière».

Le processus de rétablissement du trouble alimentaire implique l'affirmation définitive que l'on est prêt à commencer à vivre sa vie pour soi-même. Il n'y a pas d'autre vérité.

Même si, mariée, vous habitez loin de votre mère, la lutte pour vous en séparer sentimentalement est primordiale à tout rétablissement. Si vous ne parvenez pas à vous détacher, vous risquez de vous retrouver liée à la nourriture.

Les liens du mariage ne sont souvent qu'une autre forme de l'attachement que vous cherchiez à fuir en quittant le foyer parental. Parfois, on épouse ainsi sa mère ou son père, ou du moins le même type de problème contre lequel on luttait. Si, à la maison, vous vous culpabilisiez de ne pas en faire assez, vous risquez d'épouser quelqu'un qui vous poussera à entretenir ce sentiment de culpabilité, même sans vous en rendre compte. Si, chez vos parents, vous vous sentiez supérieur ou différent, si vous aviez l'impression de gâcher votre vie, vous trouverez un conjoint qui vous permettra d'entretenir le fantasme. Si votre enfance a été marquée par l'inadaptation ou la compétition, vous prolongerez vraisemblablement cette situation. En toute hypothèse, vous devrez donc établir un nouveau type de relation pour prétendre à la guérison.

LA DÉPENDANCE MUTUELLE

Même si le M.C. et son codépendant ne cessent de se plaindre l'un de l'autre, ils possèdent plus de ressemblances que de dissemblances. Ils sont, comme dans un miroir, des *images inversées* l'un de l'autre. L'un tend vers un extrême et l'autre vers son contraire.

Fondamentalement, il n'y a rien de mal à cela et beaucoup de gens vivent de tels liens d'interdépendance. Cependant, lorsque les désordres alimentaires sont en jeu, l'intrusion de la nourriture vient fausser l'équilibre. La plupart des gens, dépendants ou pas, s'inscrivent dans une telle dynamique des personnalités et vivent harmonieusement sans remettre en cause leurs relations. Par contre, le M.C. et ses codépendants doivent être très attentifs à la structure des liens qui les unissent, sous peine de voir l'obsession alimentaire jeter une ombre au tableau.

Vous avez jusque-là utilisé la nourriture pour éviter d'avoir à prendre des risques. N'ayant jamais réussi à explorer ni à «prendre possession» de tous les aspects de votre personnalité, vous vous êtes cantonné à ce qui était sans danger. Dans le choix de vos partenaires, vous avez toujours été attiré par ceux pouvant jouer ces rôles que vous redoutez d'endosser. Vous n'osez pas être agressif, alors vous choisissez quelqu'un qui l'est pour vous. Vous avez peur de paraître trop prétentieux, vous jetez votre dévolu sur quelqu'un qui joue le timide à votre place.

Pour entreprendre un parcours vers le rétablissement, vous devrez affronter l'aspect de votre personnalité que vous avez fui jusqu'ici.

Au cours de cette exploration des nouveaux aspects de vos personnalités propres, vous pourrez, de temps à autre, être amenés à échanger les rôles. En guérissant, le M.C. et le codépendant deviendront ainsi deux individus distincts et ils fonctionneront mieux. Avec l'assainissement de vos relations, votre rapport à la nourriture s'améliorera. Celle-ci n'était qu'un subterfuge pour éviter de devenir adulte.

Étudions maintenant ce qui apparaît et ce qui, au contraire, se dissimule dans cette nouvelle personnalité adulte.

L'EXTRÉMISME

Comme nous l'avons vu précédemment, le M.C. et ses codépendants sont figés dans des traits de personnalité opposés, strictement définis. Et les deux parties sont à la fois attirées et repoussées par leur contraire. Associés, ils œuvrent efficacement pour garder au premier plan les problèmes de contrôle et de conflit. Tant qu'ils s'affairent à essayer de changer l'autre, ils n'ont absolument pas le temps d'expérimenter une attitude personnelle plus modérée. Concentrés sur l'autre, ils ignorent leurs propres problèmes.

La guérison implique un développement des personnalités propres afin que chacun puisse adopter un comportement précis en fonction du moment. Vous verrez apparaître de nouvelles possibilités de choix vous permettant de vous recentrer. Il n'y a rien d'indispensable à perpétuellement jouer le boute-en-train pas plus qu'à être toujours impeccablement tiré à quatre épingles. Vous pourrez explorer des styles différents.

Un tel changement est difficile, particulièrement lorsqu'on sait d'expérience que certains comportements d'emprunt fonctionnent efficacement et aident à survivre. Mais vous devez apprendre à vous relâcher. Vous vous laisserez vivre et n'aurez plus besoin de la nourriture pour vous calmer. À l'image des cellules qui ne cessent de fusionner puis de se séparer, les relations humaines ont besoin de fluidité. À toujours rester rigide, tout à votre obsession, vous êtes devenu incapable de vous plier au changement et à l'innovation. Or la guérison est synonyme de changement. Il n'y a pas d'autre choix que devenir adulte ou échouer!

LES RÉACTIFS

Les M.C. réagissent plus en fonction des données externes que des motivations personnelles. Ce sont des extravertis. En tant que M.C., vous êtes donc extrêmement sensible aux stimuli extérieurs, mais fort peu attentif aux messages émis par votre corps.

À l'occasion de tests, on a demandé à des obèses et à des gens «normaux» d'aller observer une pièce pour la décrire ensuite. Là où certains déclaraient n'avoir vu «qu'une chaise, un bureau et une lampe», les obèses s'attardaient sur un luxe de détails: «Une chaise de velours bleu, un bureau de style victorien, un tableau représentant une scène d'automne, du papier peint moucheté, etc.»

Très sensible à l'environnement, le M.C. réagit à tout ce qui entre dans son champ. Quand on lui soumet des problèmes de calcul, ses performances diminuent si on joue de la musique (alors que les gens «normaux» conservent des résultats identiques, quels que soient les stimuli externes).

Plus que tout autre, le M.C. se laisse dérouter ou guider par les événements extérieurs. Dans une pièce sans fenêtre où seule trônait une pendule, des M.C. déclaraient avoir faim et attendre le dîner dès que l'horloge marquait midi. Or, en réalité, il n'était que 9 h 30, et les gens «normaux» se disaient étonnés de «ne pas avoir faim, alors que c'était l'heure du dîner». Ceux- ci ne répondaient qu'à leurs stimuli *internes*.

Les codépendants, même s'ils ne sont pas aussi sensibles à la nourriture, le sont aux sentiments des autres. Enfoncez-vous une écharde dans le doigt et le codépendant aura lui-même mal au doigt! Cette caractéristique – un atout dans les professions soignantes – est une véritable malédiction dans le domaine des relations personnelles. À toujours réagir aux besoins des autres, ils ne se laissent que peu de chances de développer une sensibilité propre.

Souvent issus de parents dépendants, les codépendants ont développé leur capacité d'observer et d'évaluer les sentiments des autres. Pour se montrer charitables, sympathiques et se prémunir des critiques, ils ont appris la prudence. En revanche, ils ne savent pas s'affirmer ou adopter une attitude positive. Ils ne savent pas recevoir et se montrent plus à leur aise quand ils donnent.

Codépendant et M.C., toujours prompts à réagir aux besoins des autres, ne sont pas suffisamment en prise avec eux-mêmes. Chacun a besoin de l'autre pour l'aider à réagir.

LA LUTTE ENTRE PASSIVITÉ ET AGRESSIVITÉ

Si l'un est le dur, le costaud, l'autre sera le fragile et le dépendant. «Mets le chapeau blanc, moi je prends le noir.»

À l'hôpital, je rencontre fréquemment deux types de patients: Pauline «la passive» et Angela «l'agressive». La première exige de se faire véhiculer sur un brancard avec une perfusion à chaque bras. Elle veut qu'on la laisse couchée et insiste: «Ne me réveillez que lorsque ce sera fini.» Elle ne souhaite jouer aucun rôle actif dans sa guérison. «Soignez-moi», dit-elle. À l'occasion, elle va même jusqu'à prévenir le personnel hospitalier que son cas est incurable. C'est ce qu'on appelle la « singularité terminale ». Pauline présente sa passivité et sa dépendance comme un défi. « Prouvez-moi, docteur, que vous allez aboutir à un changement. »

Ces individus passifs incitent leurs dévoués codépendants à tenter « d'aboutir au changement ». Et tandis que d'autres personnes, plus agressives, jouent le rôle de sauveur, Pauline s'enferme dans sa passivité. Ils sont tous deux convaincus que l'un est un « échec permanent » et l'autre un « remède-miracle ». Sans l'aide du codépendant, la personne passive menace de s'effondrer. La clé, c'est l'association.

Angela l'agressive est tout le contraire. Volcanique, elle vient se faire soigner avec force tapage, expliquant à tous qu'elle sait très bien ce qui lui convient ou pas. C'est elle qui explique comment la guérir. Elle commence par jauger et critiquer vertement le personnel hospitalier, puis se mue rapidement en aide-soignante, devenant en quelque sorte la collègue du thérapeute. Ne sachant pas recevoir, elle a beaucoup de mal à se laisser dorloter et s'afflige de perdre la direction des opérations. N'aimant pas être soignée, elle préfère donner. (Ce type de patient se rencontre souvent parmi les infirmières que leur vocation aide à assouvir ce rôle de donatrice : elles souffrent fréquemment d'obésité.)

Cette personnalité agressive s'attache habituellement à ceux qui demandent et évite ceux qui donnent et représentent de ce fait trop de risques. Délivrée de l'obsession alimentaire, elle devient demanderesse et doit apprendre à recevoir. Elle a alors tendance à attendre un maximum de ceux qu'elle a naguère aidés.

LA LUTTE DE L'EGO

Souvent qualifiés d'« égocentristes dotés d'un complexe d'infériorité », les M.C. et les codépendants n'ont qu'un faible sens de leur valeur personnelle réelle. Il leur est bien plus commode de refléter l'image des autres. C'est l'éternel jeu de la comparaison. Qui suis-je? Comparé à qui? Ne cherchant que des relations du type «mieux que» ou «pire que», ils tolèrent rarement les liens établis sur un pied d'égalité.

Les abus alimentaires apparaissent dans ce processus d'ajustement de l'équilibre. Si, en tant que personne «inférieure», vous commencez à vous sentir trop bien, vous vous servez de la nourriture pour retrouver votre position primitive. Si vous êtes en position dominante, vous vous en servez pour retomber, en attendant de votre contraire qu'il se hausse à votre niveau.

La voie de la guérison suppose que vous affirmiez votre image, indépendamment du succès ou de l'échec des autres. Vous devez acquérir une image réaliste de vous-même qui vous conduira à une liberté d'aimer en dehors de toute lutte de pouvoir. Dans le cadre de relations équilibrées et saines, on tire satisfaction à être simplement quelqu'un de normal.

LES ENTRAVES À LA COLÈRE

Je n'ai jamais rencontré de M.C. qui ne bouillonnent d'une rage intérieure. C'est la nourriture qui leur permet d'étouffer cette rage qu'ils jugent inadéquate. Peut-être ont-ils assisté dans l'enfance à des crises de colère qu'ils craignent de reproduire. Alors, au lieu d'affronter la crise, ils préfèrent sourire pour mieux fulminer intérieurement.

Les codépendants éprouvent aussi une même crainte de la colère et choisissent souvent de se retirer en silence plutôt que d'exprimer des griefs légitimes.

Pour progresser vers un rétablissement, il faut savoir reconnaître sa colère et l'exprimer. Rien ne vous oblige à affronter directement l'objet de votre colère. En l'avouant simplement aux autres, vous pouvez donner libre cours à votre rage. Si vous êtes de ceux qui refoulent leur irascibilité, vous choisissez des amis au sang vif qui la font éclater *pour vous*. Un M.C. peut exprimer la colère de son codépendant pour lui préserver son image de «personne sympathique». Et la nourriture donne l'énergie nécessaire à ces colères. L'abstinence vous rendra moins désireux d'enfourcher les vieux chevaux de bataille.

LE CYCLE DU DÉSESPOIR

Pourquoi se mettre en colère? Le M.C. et ses codépendants partagent des années de tentatives infructueuses pour contrôler leur obsession alimentaire. Désormais, vous espérez si peu que vous avez perdu toute motivation pour entreprendre.

Avant que le processus de guérison ne commence, il faudra exprimer et reconnaître cet état de désespoir. Vous avez joué un jeu très élaboré – l'un était le malheureux et l'autre l'insouciant – et cela a fonctionné aussi longtemps que chacun est resté dans la peau de son personnage. Que se passera-t-il quand l'épouse obèse, résignée à son long martyre, déclarera qu'elle «se lance dans l'aventure quel qu'en soit le prix», après avoir trouvé une motivation et une énergie authentiques pour se créer une nouvelle vie? Que se passera-t-il lorsqu'elle voudra jouer le rôle de la femme heureuse? Que restera-t-il alors au codépendant? Le bonheur désorganisera le système.

Souvent les gens se refusent à espérer par peur du changement.

LA PENSÉE MAGIQUE

Un bon moyen de se confiner dans sa situation désespérée, c'est de croire à la magie. La pensée magique emprisonne dans une mentalité du style «amaigrissement = régime miracle». On se précipite alors sur tous les livres de recettes ou sur tous les médicaments promettant une guérison instantanée, dont on cherche désespérément à se persuader. Parfois, pour de brèves périodes, cela fonctionne!

En constatant avec quelle rapidité son corps change de forme, on est aisément tenté de croire qu'il pourra en être ainsi de sa vie. Mais redevenu mince, on se heurte aux mêmes problèmes non résolus et on retombe dans les excès engendrant à leur tour leurs propres problèmes.

C'est là toute la magie !

LE PERFECTIONNISME

Puisque nous sommes incapables de contrôler notre nourriture, efforçons-nous du moins de bien réussir le reste. Cela semble plus facile d'être heureux en affaires, de bien tenir sa maison ou de s'occuper des enfants que de s'attaquer à l'obsession alimentaire. Les M.C. et les codépendants sont acharnés à diriger leurs collègues, leurs amis ou leurs parents dans une voie proche de la perfection. Ils espèrent ainsi masquer leur sentiment d'échec concernant la nourriture. Et si on ne joue pas la carte du succès, on peut jouer celle de l'échec total. L'échec demande autant d'effort que la réussite.

UN FAIBLE NIVEAU DE TOLÉRANCE À LA FRUSTRATION

Atteindre la perfection signifie: «Le faire à ma façon et le plus vite possible». Vous vous efforcez donc de maintenir des rituels fantastiquement élaborés pour organiser le déroulement des événements et surtout le comportement des autres. Pour garder en main la situation et ses développements éventuels, vous bâtissez des scénarios précis expliquant comment chacun doit parler et agir. Et si ceux-ci se dérobent à vos attentes, vous en retirez une profonde irritation.

De nombreux lecteurs me rétorqueront: «Erreur! S'il y a bien une chose contre laquelle je suis vacciné, c'est la frustration!» Ils prétexteront de nombreuses situations professionnelles où ils gardent un front serein. Oui, ils y parviennent grâce à la nourriture! Sans cet appui, c'est le règne de la colère. Seuls les excès alimentaires vous permettent de conserver une certaine sérénité face à la panique de vos collègues. Sans cet appoint, vous devenez l'empereur du Chaos. Et si vous gardez la tête froide quand les autres ne savent plus à quel saint se vouer, c'est que, peut-être, vous ne réalisez pas pleinement les implications de la situation.

LES ATTITUDES MORALISATRICES

Une autre facette du perfectionnisme consiste à afficher des critères moraux extrêmement élevés, tant pour soi que pour les autres. Souvent le M.C. et les codépendants entretiennent des dialogues hautement philosophiques à ce sujet. Pourtant, vous ne pouvez supporter une telle exigence que grâce au secours de la nourriture dont vous vous gavez.

Parfois le codépendant vit l'aspect négatif de cette relation, jouant le jeu de l'immoralité en contrepoint du moralisme du M.C. Ce dernier peut être un séducteur potentiel et s'effraie d'un amaigrissement qui l'obligerait à voir la réalité en face.

En cours de rétablissement, tout cela devra être redéfini. Des femmes obèses qui craignent, en perdant du poids, de s'afficher comme des objets sexuels préfèrent rester grosses et célibataires pour laisser la débauche aux autres. Elles ne sont alors que trop heureuses de s'ériger en juges.

LA MENTALITÉ DU «TOUT OU RIEN»

Rien de ce qui est progressif ou modéré n'entre dans le champ d'un M.C. «Rien n'est fade comme la sérénité», tel est son grief concernant le rétablissement. Pour atteindre l'altitude des sommets – ou, au contraire, la profondeur des abîmes – le M.C. et le codépendant se donnent la réplique.

Soit vous vous enfermez dans un régime très strict, soit vous dévorez tout ce qu'il y a dans le réfrigérateur. Toujours poussé par la volonté de perfectionnisme, vous appliquez cela à la nourriture et tout manquement vous sert à excuser vos écarts.

La mentalité «régime» entre exactement dans ce cas. Les prescriptions rigoureuses, définissant les aliments permis ou non, entraînent une adhésion servile, suivie d'un abandon total et d'un retour aux excès alimentaires. Je suis toujours amusée de lire qu'«une tasse de maïs soufflé contient 55 calories». Qui se contente d'une tasse? Dites-moi plutôt combien il y a de calories dans une chaudière entière! Un M.C. ne mange jamais une tasse. Qui le fait? Pourquoi s'en préoccuper?

LES «DROGUÉS» DU TRAVAIL

Si vous êtes un travailleur acharné, couronné de succès, votre réussite professionnelle camouflera peut-être votre trouble alimentaire. C'est en tout cas le souhait de nombreuses jeunes femmes actives, conquérantes, pressées dans un univers de compétition. La nuit, elles mangent sans retenue puis vomissent. Le succès professionnel compense l'échec dans un autre domaine. Les drogués du travail sont souvent des codépendants qui, ayant échoué à soigner leur conjoint ou leurs enfants, tentent de s'accomplir en réussissant sur un autre terrain.

Durant leur rétablissement, beaucoup de ces *prisonniers du boulot* deviennent des travailleurs ordinaires. Ne ressentant plus le besoin de prouver quelque chose ou de dissimuler leur obsession alimentaire, ils se contentent de travailler selon la vieille règle «à chaque jour suffit sa peine». Cela peut créer des problèmes avec leur employeur, précédemment habitué à récolter les fruits de cette ardeur. Ils seront alors tentés de recréer l'ancienne situation d'avant leur rétablissement.

PLAIRE À TOUT PRIX

Pour que personne ne vous entretienne sur votre problème de poids, vous décidez parfois de jouer la carte de l'amabilité. Si on se plaît en votre compagnie, on excusera votre aspect. C'est du moins votre raisonnement. Les M.C. et les codépendants apprennent donc à anticiper les besoins des autres pour mieux s'y conformer. En un mot, ils se transforment en caméléons.

Au sein de vos relations, vous jouez le «bon cœur», tandis que les autres sont les «sales râleurs». Pour plaire à vos proches, vous êtes ainsi conduit à excuser ou à expliquer le comportement de celui qui fait la mauvaise tête. Malheureusement, pour y arriver, vous devez étouffer vos propres sentiments sous la nourriture.

LA PEUR DE LA RÉUSSITE

En dépit de leur «boulimie» de travail et d'accomplissement, de nombreux M.C. et codépendants redoutent la réussite. Cela s'explique principalement par la crainte, en cas de succès, d'avoir à se maintenir à ce niveau. Rappelez-vous vos impérieux critères de perfection! Si l'on connaît véritablement vos aptitudes, on s'attendra à ce que vous opériez toujours à votre capacité maximale.

Comme il vous est impossible d'atteindre en permanence vos propres critères, vous préférez, dès lors, ne pas réussir. Cette peur de la réussite se retrouve dans l'amaigrissement. De nombreux patients arrivent à s'approcher jusqu'à 5 kilos de leur poids idéal... pour repartir ensuite dans le mauvais sens. En cheminant vers votre rétablissement, vous apprendrez à vous satisfaire du progrès et non de la perfection. Vous verrez que sur le chemin de la réussite aussi on connaît des jours difficiles. Même les «grandes filles» pleurent parfois.

LA PEUR DE L'INTIMITÉ

Pour la même raison que vous craignez la réussite, vous redoutez l'intimité. L'idée de la maintenir en permanence est insupportable. Pour vous, il n'y a pas d'intimité sans dialogue sérieux, les yeux dans les yeux, et sans véritable partage, au sens profond du terme.

Mais qui souhaiterait s'enfermer dans un tel carcan? Même dans les films, ce genre de scène dramatique ne dure que quelques secondes. Qui pourrait en supporter plus? À l'image des cellules qui, dans la nature, s'assemblent et se divisent, l'intimité avec les autres doit être plus ou moins forte selon les moments.

Un jour, on se sent proche l'un de l'autre et on a envie de caresses, et le lendemain, on préfère s'enfermer dans sa chambre pour lire. Qu'y a-t-il de mal à cela? Kahlil Gibran, dans *Le Prophète*, nous dit: «Même au sein de l'union, il faut savoir ménager la distance.»

LES ISOLATIONNISTES

Lorsqu'on est la proie d'autant de conflits, d'échec, de travail, de fuite, de colère ou de désir de plaire, avoir envie de vivre seul est naturel. Plus besoin, pour le M.C. ou le codépendant, d'attendre quoi que ce soit d'autrui.

Malheureusement, plus les désordres alimentaires s'accroissent, plus la solitude devient intolérable. Les soucis, la culpabilité ou l'apitoiement sur soi sont insupportables. Le seul remède est la nourriture qui, à la fin, cesse d'être efficace. Souvent, les M.C. et les codépendants s'isolent entre eux; cela ne fait qu'aggraver la situation en accentuant la dépression et le refus de voir la vérité en face.

Le chemin de la libération passe par les gens. Mais pas par n'importe qui. C'est facile de se faire des amis ou d'influencer ses proches en jouant un rôle de soutien et en s'efforçant de leur plaire. À tous les coups, on vous «aimera» beaucoup. Mais ce n'est pas ce dont vous avez besoin.

Si la méthode avait été efficace, vous ne vous seriez pas retrouvé piégé par la nourriture. En vérité, vous ne vous êtes ménagé des amis que grâce à votre attitude «caméléon», et non en vous présentant sous votre vrai jour. Pour progresser vers une guérison par l'intermédiaire de ses relations, on doit instaurer une nouvelle forme de dialogue. Dans *The Women's Room*, Marilyn French explique: «La solitude n'est pas l'aspiration à une compagnie. C'est l'aspiration envers un *semblable*.»

M.C. et codépendants retrouvent leurs semblables dans les réunions des Outremangeurs Anonymes et des O-Anon[2], où ils peuvent s'exprimer et être entendus. Avec leurs *alter ego*, ils peuvent partager la souffrance que provoquent leurs désordres alimentaires, trouver du réconfort et progresser. On est enfin à même de se montrer sous son vrai jour au lieu d'endosser, grâce à la nourriture, une personnalité d'emprunt.

ÉCHANGER LES PERSONNAGES D'EMPRUNT CONTRE LA RÉALITÉ

Vous avez bien plus à perdre que des kilos.

Vous avez aussi bien plus à gagner qu'une simple minceur passagère.

Une fois vos relations changées, vous ne souhaiterez plus retourner à l'ancien système. Vous en serez même incapable et les vieux rôles stéréotypés vous paraîtront le comble de l'ennui.

Examinons ces rôles anciens et les nouvelles approches qui vous délivreront de la dépendance.

• *La victime*

Dans la famille qui vit le «drame de l'obésité», la victime est le rôle vedette. Sans la souffrance perpétuelle du M.C., tout le monde se trouverait déstabilisé. Cela explique partiellement pourquoi le M.C. doit continuer à souffrir. Tant qu'il assume ce rôle, il assure la sécurité et la protection de ses proches.

La victime, en dépit de sa souffrance, formule de subtils reproches: «C'est vous qui m'avez fait ainsi. Vous devez me soigner.» Il faut beaucoup de talent pour échouer. Statistiquement, on devrait réussir une fois sur deux. Si on échoue tout le temps, c'est qu'on s'y efforce. Il y a donc une grande puissance contenue dans la victime qui n'exerce jamais ses reproches de front, car cela libérerait trop d'énergie. En fait, la victime ne cesse de s'apitoyer sur son sort et de culpabiliser, comme pour se nier toute possibilité de bonheur.

---

2. Pour les codépendants des Outremangeurs Anonymes. (*N.d. T.*)

Cela oblige également tous les membres de la famille à s'occuper d'elle. Par chance, elle continue à être malade! De cette manière, elle devient l'alibi de toute la famille, et tous de se plaindre: «On serait heureux si seulement... voulait se joindre à nous.» Si le M.C. ne persévérait pas dans son rôle, un autre membre de la famille devrait se substituer à lui. En fait, cette victime est le héros de la famille et sert d'excuse à l'échec.

Tant que le M.C. souffre, les autres membres de la famille (codépendants) n'ont pas à tester leur propre aptitude au bonheur. Pour se rétablir, les codépendants doivent trouver leur voie personnelle, qu'ils aient ou non guéri leur M.C. Ils doivent assumer leurs responsabilités.

Autrefois, la victime se lamentait: «Ma vie n'est qu'un échec. C'est sans espoir, je n'y arriverai jamais.»

En se rétablissant, elle dit: «Aujourd'hui, je fais de mon mieux. Au moins, j'ai pris un nouveau départ et c'est tout ce à quoi je peux me consacrer pour l'heure.»

• *Le catalyseur*

Si la victime tient le premier rôle, celui qui rend les choses possibles, le catalyseur, est certainement un personnage clé. Le catalyseur porte le chapeau blanc tandis que le M.C. se coiffe du noir (dans l'esprit du catalyseur, bien sûr).

Si tel est votre emploi, votre rôle consiste à stabiliser un système précaire. Vous êtes un grand organisateur, un travailleur couronné de succès, n'hésitant pas à accomplir tout ce qu'on lui demande. Dans votre jeunesse, vous étiez un bon élève fortement motivé, montrant de grandes qualités de chef, et vous vous faisiez remarquer par votre esprit rationnel et réaliste. Extérieurement, vous semblez vous tenir en haute estime; pourtant vous vous impliquez rarement dans des relations personnelles très intimes, car, en ce domaine, vous ne croyez pas en votre valeur. Si on vous demande de relâcher votre contrôle et d'ouvrir les barrières, c'est la panique. Pour vous, le contrôle est la meilleure forme d'aide. Au moindre signe d'encouragement du M.C., vous vous précipitez pour endosser le fardeau de sa guérison.

Il vous faudra apprendre à vous retirer pour laisser le M.C. s'écrouler si tel est son destin. Laissez-le couler. Laissez-le nager à sa guise. Vous n'en êtes pas responsable.

Autrefois, le catalyseur disait: «J'ai refusé cette invitation, car je savais que tu ne pourrais pas y suivre ton régime.» Tandis que le même catalyseur, en cours de rétablissement, déclarera: «Ton amie Jeanne nous invite au restaurant. J'ai pensé que tu saurais te débrouiller, et je lui ai dit que tu la rappellerais.»

- ## *Le persécuteur*

Le rôle du persécuteur est habituellement tenu par le conjoint ou un parent. Ce personnage possède la double fonction d'aider la victime à rester malade et de la blâmer de sa maladie.

Le message est double. Au début, vous soutenez et cajolez le M.C. La patience n'ayant qu'un temps, vous commencez à le critiquer en exigeant un comportement parfait. Et, tel un vautour perché sur un cactus, vous finissez par glapir: «Au diable la patience! Ça va barder maintenant!» Celui qui va en prendre pour son rhume, c'est le M.C., car vous écumez de rage.

Ce sentiment reste ordinairement caché sous un fin masque de sollicitude. En dépit de son attitude critique, le persécuteur est aussi un tentateur toujours prêt à encourager un «petit excès juste pour une fois». Un tel dédoublement de la personnalité engendre une grande souffrance.

Vous devez apprendre à exprimer directement votre colère en rejetant tout d'abord le trouble alimentaire. Vis-à-vis du M.C., le message sera: «*Toi*, je t'aime, mais je déteste *ta maladie*. Désormais, je ne soutiendrai plus ton attitude d'autodestruction. Tu as tes problèmes; moi, j'ai les miens. Je cesse de m'occuper de toi.»

Une fois cela dit, calmez-vous. Vous n'avez pas besoin de continuer votre sermon ni de vous mobiliser pour aider. Exprimez clairement votre message et prenez du recul.

Vous devrez aussi trouver un biais pour excuser votre ancienne attitude punitive. Vous n'aimez pas la manière dont vous avez agi, vous vous êtes contenté de répondre aux frustrations engendrées par votre propre impuissance. Le meilleur moyen de vous faire pardonner consiste à changer immédiatement de comportement. Nul besoin de discours élaboré. Nul besoin de promettre que tout sera parfait à l'avenir.

Autrefois le persécuteur accusait: «Tu n'es qu'un glouton sans volonté! Tu me dégoûtes.»

Aujourd'hui, en voie de rétablissement, il déclare: «Ça me fait trop mal de te voir souffrir. Tu te débrouilleras tout seul.»

Les persécuteurs et les catalyseurs voudraient toujours voir leurs efforts récompensés. Ils avaient espéré faire honte au M.C. et l'obliger ainsi à se reprendre. En réalité, la maladie n'a fait qu'empirer.

Un des plus tristes cas de ma carrière débuta, un jour, avec l'admission aux urgences d'une mère boulimique et alcoolique qui souffrait de nombreuses lacérations au visage et au cou.

Après l'avoir interrogée, je découvris que cette femme avait juré à Emily, sa fille de douze ans, de se mettre au régime et de devenir sobre. Or, le soir même, rentrant de l'école, Emily avait trouvé sa mère inconsciente dans la cuisine, gisant au milieu des emballages vides et des cadavres de bouteilles. Folle de rage et de frustration, elle avait battu sa mère jusqu'à ce qu'un frère aîné s'interpose. Imaginez la détresse d'Emily partagée entre l'amour et la haine de sa mère!

En pareil cas, l'enfant avait besoin d'être aidée pour accepter sa rage et se pardonner à elle-même en tant que covictime de la maladie.

Emily avait déjà pris en main l'ensemble des tâches ménagères. Sa mère, trop nerveuse et «malade», était incapable d'assumer ses responsabilités. Emily jouait à la fois le rôle du catalyseur et du persécuteur.

Partagée entre l'envie et la haine de cette responsabilité, Emily devra apprendre à redevenir une enfant et non plus la mère de sa maman. Elle devra aussi lui pardonner ses anciens manquements et abandonner tout désir d'être gratifiée en retour. C'est en elle-même qu'elle devra trouver sa récompense.

- **Le clown**

«Je veux être le premier à rire de moi-même.» «Il faut toujours prendre les choses à la légère.» «Pourquoi se faire une montagne de tout?» «Pourquoi garder son sérieux?»

Le clown se rencontre aussi bien parmi les M.C. que chez les codépendants.

Face à la souffrance de la famille, il se pose comme une forme de diversion. En tant que compagnon, il est vif, facétieux et drôle, ne cessant de rire, de plaisanter et de ne pas prendre la vie au sérieux. Il affiche une attitude du style «Bof! c'est la vie!», alors qu'en fait il est affecté par cette souffrance. Plus qu'un acteur, c'est un réacteur. En blaguant et en se donnant en spectacle, il joue celui que rien ne concerne, tout juste là pour donner un peu d'humour à l'existence.

Si tel est votre cas, après avoir constaté le chaos d'une cellule familiale tombée dans la dépendance, vous avez décidé de ne pas jouer le jeu et vous cherchez toutes sortes de dérivatifs pour fuir l'intimité. Jouant l'indifférent, vous faites irruption au milieu d'un drame familial en demandant, l'air innocent: «On va à la plage, samedi prochain?», espérant que de tels dérivatifs aideront les autres à dissimuler leur souffrance. Pour vous, l'intimité, c'est la mort.

Mais en la niant, vous en arrivez à ne plus vous prendre au sérieux. Souvent, il ne vous reste qu'à développer votre propre intoxication pour trouver enfin quelque repos et être pris au sérieux. Distraire les autres vous a demandé tant de temps et d'efforts que maintenant c'est vous qui êtes «distrait».

Autrefois le bouffon avait l'habitude de blaguer: «Si je mange tout, vous me ferez un prix de gros?»

En cours de rétablissement, le clown déclare à présent: «Je me sens mal dans ma peau. J'ai besoin de dialoguer.»

- ***Le héros***

Souvent recruté parmi les enfants, le conjoint ou les collègues, le héros décide de se surpasser pour prouver que tout va bien. Si tel est votre cas, vous cherchez à masquer la souffrance. Vous paraissez sensible, perspicace, conscient des autres et extrêmement responsable. Votre motivation: agir et réussir à améliorer le sort de tout le monde.

Durant votre rétablissement, vous devrez apprendre à vous écrouler. Ce faisant, vous ménagerez un espace vierge autour du M.C. «fautif» qui révélera alors au grand jour son étoffe. Tant que le héros continue à occuper le devant de la scène, le M.C. reste malade afin de ne pas voler la vedette à quiconque.

Autrefois, le héros avait l'habitude de fanfaronner: «Ne t'inquiète pas, Scarlett, je serai toujours là, prêt à résoudre tes problèmes...»

En cours de rétablissement, il déclare à présent: «Tout dépend de toi. Moi, j'ai mieux à faire. Franchement, Scarlett...»

- ***Le reclus***

Pas de remous! Pas de vagues! Calme et timide, le reclus, sentant l'angoisse et la peur s'emparer de tous, a décidé de se retirer pour ne pas ajouter aux angoisses de la famille.

Si tel est votre cas, vous pensez que la famille en endure suffisamment et vous préférez vous recroqueviller dans votre coin afin de ne pas en rajouter. L'éloignement, pour vous, est la clé de la réussite. Le reclus est souvent un enfant solitaire, exigeant peu de soins, et attirant des réflexions comme : «Au moins, avec ce gosse, je n'ai pas de souci à me faire.»

En tant que reclus, vous avez compris que le problème familial est centré autour de la maladie. Mais ne sachant comment vous y prendre, vous avez préféré ne pas vous impliquer dans le jeu. Pour progresser, vous devrez découvrir de nouvelles sources de joie et apprendre à vous amuser. Vous devrez relâcher l'énergie longtemps contenue en vous, au risque d'affecter vos proches. C'est inévitable. Vous existez *vraiment* et vous devez en *accepter* les conséquences.

Autrefois, le reclus avait l'habitude de marmonner : «Ne vous occupez pas de moi. Je me débrouillerai seul.» Aujourd'hui, il participe à l'action en disant : «Ne m'oubliez pas. Moi aussi, je suis quelqu'un qui compte.»

- **Les survivants**

Tous les membres de ce système ont appris à s'adapter pour survivre. Certains ont fait de leur souffance une œuvre d'art et méritent la médaille du courage et des martyrs.

Si tel est votre cas, vous savez vous adapter. Avec vos proches, vous faites preuve de complaisance et de docilité. Toujours prêt à suivre les ordres, vous optez souvent pour des carrières offrant une certaine précarité (ventes à la commission ou délais implacables). Vous savez anticiper les désirs des autres et, tel un caméléon, vous vous y adaptez instantanément.

Le survivant cache cependant une détresse et une solitude profondes. Il n'a jamais appris à exprimer son moi authentique. Il a toujours tenté de bannir, et quel qu'en soit le prix, l'expression de sentiments qui ne lui ont généralement valu que des critiques.

Quand il se sentait morose, personne n'est venu le réconforter. Lorsqu'il était en colère, on l'a puni! Et quand il a tenté de s'exprimer, on l'a bafoué. Il a donc appris à s'adapter et à manipuler les autres, mais à son propre détriment.

LA SÉRÉNITÉ EST FASTIDIEUSE

Si on ne les aide pas, de telles familles se désagrègent et chacun part à la dérive, s'isolant dans la réclusion ou la solitude. Pourtant, tant que la dépendance subsiste, le système continue à fonctionner. En silence, et souvent inconsciemment, chacun transige avec le mal qui progresse. La famille s'isole du reste de la société. Elle refuse les invitations, évite les fonctions en vue et n'assiste plus aux activités scolaires des enfants. Une attitude selon laquelle «rien n'a d'importance» se généralise. Les maris se disent: «Après tout, je n'avais pas tellement envie d'aller à cette fête.» Les enfants soupirent: «Ça n'a pas d'importance si maman se laisse aller.» Les époux, victimes d'une frustration sexuelle, se croient trop exigeants et préfèrent laisser en paix leurs conjoints.

Après s'être gavée de nourriture, la mère gît à demi inconsciente sur son lit. Chacun affecte de douter de ses perceptions: «Maman m'avait promis d'aller nous promener ou je me trompe?» «J'avais cru comprendre qu'elle irait faire les courses.» «Pourquoi reste-t-elle là à manger?»

Cette famille tente de s'adapter au chaos. Pourtant, l'incertitude perpétuelle la domine. Chacun, incapable de prendre la vie calmement, voit dans les conflits, parfois violents, une expression de son attachement.

En cours de rétablissement, le calme est souvent pris pour un recul ou un manque d'affection; et certains tentent de perpétuer les anciennes guerres pour se sentir proches de nouveau. Parfois, ils se plaignent que le foyer est devenu synonyme d'ennui. Qu'ont-ils en commun désormais?

On constate aussi la position contraire. Le boulimique, tant qu'il satisfaisait ses appétits, avait tendance à s'isoler. Les autres avaient donc appris à vivre sans lui. Ayant entrepris de se rétablir, son «retour» bouleverse l'ancien équilibre et engendre un ressentiment secret. Comment la jeune Emily pourra-t-elle renoncer à son rôle de gardienne du foyer au retour de sa mère? Elle devra rendre les pouvoirs qu'elle avait prématurément conquis.

Souvent les enfants rouspètent et disent qu'ils préféraient le temps où leur mère mangeait et ne s'occupait pas de leurs bêtises. Même si «papa criait beaucoup», les enfants savaient le contourner.

LE CENTRE DE COMMUNICATION DE LA FAMILLE

Ralph a eu des parents alcooliques et a toujours culpabilisé de n'avoir pas pu les aider. Il a épousé Katherine, une fille obèse. Il a essayé de lui venir en aide. Ralph, accompagné de son fils Bernard, dix-sept ans, a donc assisté à une séance de thérapie en groupe au début du traitement de Katherine. Il a commencé par chercher querelle à son fils: «Ta mère est furieuse! Elle a l'impression que tu ne t'occupes pas d'elle.» La dispute dura ainsi un moment sous le regard silencieux de Katherine. J'interrogeai alors la mère pour savoir pourquoi elle ne s'en ouvrait pas directement à son fils.

Après avoir pris en charge ses parents alcooliques, Ralph continuait à démontrer sa valeur en s'instituant le personnage central de la famille. La mère de Bernard avait abdiqué depuis longtemps en sa faveur. Il se sentait important et elle pouvait manger en secret.

Après que j'eus insisté pour qu'elle s'adresse directement à son fils, elle prit la parole et l'accusa de «ne jamais prêter attention à elle», d'être «égoïste», etc. Elle avait visiblement besoin de lui, mais plutôt que d'en faire la demande, elle avait développé un style coutumier aux familles de codépendants: elle se plaignait. Elle préférait l'accuser plutôt que de lui faire part de ses désirs.

Dans le groupe, nous demandâmes à Katherine d'essayer de reformuler sa demande. «Katherine, ai-je dit, vous souhaitez obtenir quelque chose de ce garçon. Voyons si vous pouvez trouver un moyen de le demander.»

À ce moment, Katherine fondit en larmes. Entre deux sanglots, elle s'adressa à Bernard en hoquetant: «J'ai tellement peur que tu sois furieux contre moi si j'ai besoin de ton aide. Tu vas dire que je suis folle ou, en tout cas, pas assez solide pour que je me prenne en charge toute seule.»

Pour toute réplique, Bernard se pencha vers elle et la tint serrée entre ses bras: «Non, maman, au contraire, je suis content que tu aies enfin demandé de l'aide. C'est évident que tu as essayé auparavant, même si tu n'as pas obtenu de résultats. Désormais, je ferai de mon mieux pour t'aider.»

Ils s'embrassèrent en silence tandis que Katherine séchait ses larmes. Le père essaya d'intervenir. Il avait besoin de rompre cette intimité afin de rétablir sa prédominance. Après l'avoir rassuré sur sa qualité, je lui fis valoir que le mieux pour lui était de les laisser régler ce problème.

Dans ce cas particulier, la mère mangeait en cachette. D'abord, personne n'avait été affecté par ses débordements alimentaires. Ralph entonnait un refrain connu: «Elle mange comme un oiseau.» Car ce n'était pas tant son alimentation que leur relation qui posait problème. Au sein de sa cellule familiale, Katherine était comme anesthésiée, et le père et le fils gardaient leurs distances.

Durant la guérison de Katherine, elle et son fils apprirent à régler ensemble leurs problèmes. Et les deux hommes purent avoir des relations personnelles indépendantes. Ralph et Katherine se rapprochèrent également: ayant cessé de se lamenter au sujet de Bernard, ils trouvèrent d'autres sujets de conversation.

Et si Katherine avait à se plaindre, elle allait désormais s'en ouvrir à qui de droit.

Depuis, Katherine n'a cessé de s'affirmer face à son mari et à son fils. Quand Ralph essaie de faire son interprète, elle le coupe : «Ne parle pas pour moi. Je suis assez grande pour m'occuper de moi.» Depuis qu'il a cessé d'agir en censeur de la famille, Ralph s'est également rapproché de son fils. Ils s'allient même parfois pour faire des reproches à Katherine !

Quant à Katherine, elle ose désormais affronter directement son mari plutôt que de mettre, sans en avoir l'air, son fils en cause. Cette attitude a provoqué quelques conflits matrimoniaux, du moins au début, mais elle a aussi réveillé l'appétit sexuel du couple. Avec sa perte de poids et la disparition de son sentiment d'insécurité, Katherine a retrouvé l'amour de son mari et a repris de l'intérêt aux plaisirs de la chair. À la place de ses chocolats, c'est son mari qu'elle amène désormais au lit !

JE T'EN PRIE, MAMAN, JE NE VEUX PAS PARTIR !

Elvira découvrit un jour que sa mère, Vanessa, avait construit toute son identité autour de la maternité. Vanessa, à la fin de ses études, avait épousé Jim pour satisfaire aux usages. La jeune diplômée en gestion ménagère savait qu'être mère serait la véritable tâche de son existence. Loin d'être une priorité dans sa vie, sa relation avec Jim n'était que l'instrument de sa haute destinée : la maternité.

Après qu'Elvira eut quitté le foyer pour l'université, le meilleur moment de la semaine pour Vanessa était le coup de téléphone hebdomaire de sa fille. Elvira restait sa meilleure amie et sa confidente ; Vanessa et Jim n'avaient plus guère de sujets de conversation désormais.

Cependant, Elvira restait tellement attachée à sa mère qu'elle n'avait aucun sentiment d'autonomie. Elle ne se sentait vraiment seule et indépendante qu'après avoir vomi. Fatiguée et épuisée, elle était alors envahie par une euphorique sensation de séparation.

La mère et la fille appréciaient énormément leur relation et il ne semblait n'y avoir aucune raison pour souhaiter une distanciation. Celle-ci n'apparut que lorsque Elvira s'aperçut qu'elle n'avait absolument pas l'impression de vivre sa vie.

En guérissant, Elvira comprit que si sa mère avait un besoin de maternité, elle avait, *elle*, besoin de grandir et d'agir en adulte. Vanessa, qui désirait être une meilleure mère que la sienne, était extrêmement attachée à Elvira. Chacune jouait la partition qu'une autre aurait dû jouer et devait donc établir sa propre identité en dehors des relations maternelles. Alors Elvira pourrait grandir et quitter le foyer. Vanessa n'aurait plus besoin d'elle pour jouer le rôle de l'enfant, et elle pourrait enfin cesser de se soucier de tout.

On a beaucoup écrit sur le conflit des femmes modernes qui cherchent à concilier leur idéal et les projections de leur mère. En se mettant en quête d'argent, de biens ou de succès dans un monde d'hommes, les filles se placent parfois en contradiction avec le modèle maternel. Cette situation peut poser problème lorsque certaines mères prennent cette attitude pour un rejet.

Il semble qu'il n'y ait pas moyen d'être soi-même *et* d'aimer sa mère. L'assiette ou la cuvette des toilettes deviennent alors la manifestation de ce conflit.

Elvira et sa mère durent trouver le moyen de dire adieu à leur amour. Elles avaient besoin de pleurer ensemble, car la séparation fait peur et le changement perturbe. Cependant, s'agissant de troubles alimentaires, si l'on ne fait pas face au changement, on retourne à ses errements passés.

Vanessa et Elvira surent pleurer ensemble; elles comprirent la nécessité d'une séparation en dépit de la douleur qu'elle entraînait. Aujourd'hui Elvira, entrée pleinement dans une nouvelle vie, a cessé de vomir.

«POUR MOI, LA VIE VA COMMENCER...»

Nous finirons ce chapitre en évoquant tristement la célèbre chanson de Karen Carpenter. Même si de nombreux fans ont prétendu qu'elle avait succombé à «une crise cardiaque», Karen est morte de troubles alimentaires et d'anorexie nerveuse. Grâce aux médicaments, elle venait de reprendre une douzaine de kilos après une période d'anorexie, lorsque son cœur a lâché.

Bien qu'adulée par des millions de fans, la chanteuse n'avait pas réussi à combler ses désirs. Ses relations personnelles étaient désastreuses et, même au milieu d'une foule d'admirateurs, elle souffrait de la solitude des M.C.

En fait, nous mourons parfois d'un arrêt du cœur parce que nous n'avons pas trouvé le moyen de satisfaire ce cœur. Cette histoire n'a pas d'autre morale que d'apprendre à «améliorer ses relations pour progresser sur le chemin du rétablissement».

La perte de poids

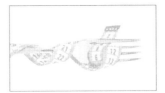

5

ACCEPTER
CE QUI EST DIFFICILE

MAINTENANT QUE VOUS COMPRENEZ, VOUS LE MANGEUR compulsif, et vous le codépendant, comment vous en êtes arrivés là, vous allez pouvoir repasser par la case départ et commencer la cure!

Vous devrez accepter le fait de souffrir d'une maladie incurable et chronique dont la rémission repose seulement sur un changement de personnalité. Pour en finir avec votre histoire d'amour avec la nourriture, il vous faut apprendre à aimer et à vous faire aimer autrement.

Il est compréhensible que vous restiez à l'écart au lieu de vous tourner vers les autres. Il est normal que vous privilégiiez la sécurité confortable des aliments plutôt que celle, précaire, des individus. Ils sont souvent si décevants! Meurtri et sans illusions, vous ne vous aventurez plus guère sur le chemin de l'espoir. Même celui-ci finit par vous faire peur.

Un vieil alcoolique, que je soignais dans un de mes groupes, grommelait: «Je m'appelle John et je ne suis pas un alcoolique.

Je suis un ivrogne.» Ne voulant pas reconnaître sa maladie, il lui préférait un jugement de valeur. Plus tard, il finit par admettre que cette attitude de dénigrement le poussait à boire; il découvrit aussi qu'en avouant son statut d'alcoolique, il se donnait la possibilité d'y remédier. Reconnaître, c'est commencer à guérir.

La même acceptation est vitale pour la guérison du M.C. Vous devez comprendre votre différence et vous battre différemment contre les aliments.

Tout Américain «normalement névrosé» suit un régime du lundi au vendredi pour succomber pendant le week-end. Ce n'est pas votre cas. Vous, vous êtes obsédé par la nourriture qui domine et régit votre vie. Vous avez poussé l'obsession jusqu'à son stade pathologique. Vous devez donc réaliser que le traitement ne sera pas simple. Sans cesser de manger, il vous faudra réussir à mettre un terme à cette relation obsessionnelle.

Il n'est pas facile d'admettre sa maladie. En fait, c'est même le plus difficile. Vous devrez pourtant vous en persuader. Certes, dans le passé, vous en avez eu conscience mais, chaque fois, vous avez trouvé plus confortable d'oublier au plus vite la gravité de votre état.

La volonté de vous rétablir durablement passe par l'acceptation, constante et profonde, de la gravité de votre maladie. Cela ne sera pas facile, ni pour vous ni pour ceux qui vous aiment. Surtout sans le secours de votre dose alimentaire habituelle.

⌈Commencez par reconnaître que votre vie, en ce domaine, n'a été qu'une succession d'échecs et que tous vos efforts antérieurs n'ont fait que vous conduire à votre état actuel.⌋

→ ACCEPTER LA FAIBLESSE

«Oui, c'est vraiment douloureux... mais sans aide, le mal ne fera qu'empirer.» La lecture de ce livre est un bon début. Vous connaissez déjà les méthodes «faciles et rapides» et vous avez eu l'occasion de constater leur inutilité.

⌠Comme toujours, sachez qu'il y aura ici du bon et du mauvais. Commençons par les mauvaises nouvelles: chaque M.C. doit réaliser qu'il souffre d'une maladie chronique dont la guérison exigera un traitement draconien. Se rétablir du désir compulsif de manger est difficile. Comme nous l'avons déjà dit, c'est même l'exploit le plus malaisé que vous aurez jamais entrepris.

Maintenant, voici le bon côté des choses: difficile ne signifie pas impossible. En acceptant cette épreuve, en reconnaissant la maladie et la nécessité d'un changement radical, vous devez y arriver. Cela peut paraître étrange, mais avouer *Je sais que c'est difficile* facilite déjà les choses.⌡Combien de médecins, derrière leurs sinistres bureaux, vous ont proposé des régimes à 1200 calories, sans qu'aucun d'eux ne reconnaisse jamais *Je sais que ce sera très dur à suivre*. Ils se contentaient de délivrer leur ordonnance, attendant implicitement que vous vous conformiez précisément à leurs directives.

Si vous aviez été capable de suivre de tels conseils, **vous n'auriez jamais eu besoin de venir les consulter**.

Vous connaissez parfaitement la marche à suivre, mais le problème est d'y arriver seul. «Toute ma vie, j'ai essayé de me contrôler. Je n'y suis jamais parvenue. C'est gênant à dire, mais c'est vrai.»

Il n'est pas facile d'atteindre ce stade d'acceptation authentique. Je suis sûre que vous vous en êtes déjà approché, sinon vous ne seriez pas en train de lire ces lignes. Vous seriez toujours persuadé de pouvoir mobiliser votre volonté afin de vous battre jusqu'au bout. Vous vous seriez défini un poids idéal, vous auriez fixé un jour et, les poings serrés, vous auriez foncé. Le problème, c'est d'avoir cru qu'il suffisait d'une semaine, d'un mois, voire, au pis, d'une année. Tout repose sur cette idée fausse: une fois mince, le problème disparaît. Or, rien n'est plus faux! La preuve, malgré vos fermes résolutions, vous en êtes toujours au même point.

Plutôt que de voir la vérité en face:

- nous préférons penser que nous souffrons seulement d'un problème de poids.
- nous refusons l'idée d'être au régime toute notre vie.
- nous nous promettons: «Quand je serai mince, jamais, au grand jamais, je ne reprendrai de poids.»

Mais, au lieu du succès escompté, toutes ces résolutions ne débouchent que sur un nouvel échec. Pour obtenir un rétablissement durable, il faut admettre l'idée de sa maladie. De manière complète et permanente. Car cette affection a perverti chaque instant de votre vie. Réfléchissez au nombre d'heures que vous consacrez chaque jour à penser obsessionnellement à ce que vous allez manger, à la manière dont vous allez vous habiller et à votre éventuelle réussite.

Au lieu de voir votre vie comme la répétition d'un futur, vivez-la comme vous êtes en ce moment. Ce n'est pas une simulation, c'est la réalité.

Dans ce chapitre, vous allez découvrir les étapes qui conduisent à l'acceptation. Elles ne constituent pas un itinéraire précis. Il vous arrivera de régresser, de sauter ou de mélanger ces étapes, mais à la fin de cette partie du livre, vous aurez appris à vous situer et à comprendre votre mode de fonctionnement face aux troubles alimentaires.

La route de l'acceptation

On vous demande de reconnaître l'inutilité des demi-mesures et la gravité de votre maladie. Tant par ma propre expérience que par mes patients, j'ai appris qu'on en minimise trop souvent l'importance.

En étudiant le compte rendu des travaux du docteur Elisabeth Kübler-Ross sur ses malades à l'article de la mort, j'ai été frappée par de nombreuses similitudes. Ses patients passent par cinq étapes: le *déni*, la *colère*, le *marchandage*, la *dépression* et enfin l'*acceptation*. Dans son ouvrage *Les derniers instants de la vie*, le docteur Kübler-Ross montre que ses malades finissent par accepter réellement leur faiblesse face à une force qui, inexorablement, va les dominer pour les détruire.

J'ai vu de nombreux malades traverser ces cinq étapes. C'est le cas des boulimiques, des alcooliques, des aveugles, des paraplégiques, des paralysés et, même parfois, du citoyen américain moyen. À chacun, la vie assène des coups que l'on n'attend pas et que l'on n'apprécie guère mais, en finale, on doit les accepter.

Vous n'aurez pas à tout accepter d'un coup, ni même tout le temps. «L'issue est au bout du chemin», comme l'exprime Fritz Peris, le père de la Gestalt thérapie. Selon lui: «Une fois admis qui et ce que nous sommes, nous abandonnons l'idée de devenir *quelqu'un d'autre*.» Ce faisant, nous devenons *automatiquement* cet autre. En d'autres termes, nous passons d'un individu qui se hait et qui se voudrait différent à quelqu'un qui s'accepte en disant: «Je suis ce que je suis et rien d'autre.»

ACCEPTER LE DÉNI

Êtes-vous prêt? Prêt à franchir les étapes qui vous amèneront à penser que vous êtes, en ce moment, dans le meilleur des mondes possible? Même si vous n'aimez pas ce monde qui est le vôtre, pouvez-vous au moins admettre qu'il constitue la conséquence de toute votre vie? Que vous êtes exactement là où vous devez être? C'est dur, je sais. Mais voyons si vous êtes déjà d'accord avec les propositions suivantes:

- Votre meilleure amie, la nourriture, s'est retournée contre vous.

- Vous avez déjà tout essayé, et voilà où cela vous a mené.

- Votre obsession de la nourriture correspond parfaitement à votre façon de vivre.

- Aucun gourou ne vous sortira de là.

- Tout cela vous détruit.

Quand le docteur Kübler-Ross entreprit d'aider les mourants en milieu hospitalier, elle s'enquit auprès du personnel du lieu où on les plaçait, mais les infirmières répondaient nerveusement: «Oh! personne ne meurt ici.»

Pourtant ces hôpitaux avaient mis au point des procédures de soins aux mourants et défini des actions à mettre en place après le décès des malades. Ils disposaient même d'une morgue autonome et d'une entrée spéciale pour les corbillards. Mais, dans la plupart des centres hospitaliers, la réponse du personnel était toujours: «Personne ne meurt ici.»

C'est le refus de la vérité par excellence. Une forme de déni total auquel le docteur Kübler-Ross dut d'abord s'attaquer.

Le refus de la vérité que l'on constate dans les désordres alimentaires est tout aussi flagrant et difficile à combattre. Des patients, qui admettent avoir des «problèmes», refusent d'accepter l'idée d'une maladie chronique qui durera toute leur vie. Reconnaître la gravité de son affection est aussi difficile qu'accepter sa mort.

Dans le cas de la boulimie, la phase de déni est très importante. C'est aussi la plus néfaste. Alors que la maladie en est parfois à son stade ultime, cette phase incite la personne à se croire confrontée à un inconvénient mineur, aisément soignable, «dès que je le voudrai». Ce refus affecte la vie entière, et sa disparition exige un changement radical d'existence.

«Je peux me mettre au régime quand je veux.» «Je commencerai demain ou lundi.» Depuis combien d'années dites-vous cela? Vous voudriez que la guérison ne soit qu'un simple projet ne demandant ni trop d'efforts ni un trop grand changement dans votre style de vie. Penser ainsi, c'est s'illusionner. Croire que «Tout cela n'est pas dramatique, je m'en tirerai bien tout seul», c'est ignorer à quel point votre refus de la réalité est devenu prédominant.

Il existe un autre aspect du déni, souvent renforcé par les codépendants bien intentionnés: «Ce dont tu as besoin, c'est d'un peu plus de volonté.» Cela ne fait que renforcer leur culpabilité et le dégoût d'eux-mêmes. En fait, le manque de volonté n'est pas caractéristique des M.C.; au contraire, ils font souvent preuve de beaucoup de détermination et de volonté. Leurs tentatives infructueuses pour s'affranchir de l'obsession de la nourriture les a transformés en travailleurs acharnés. Ils sont devenus de «vrais bons copains», toujours présents en cas de besoin, montrant en général beaucoup de force et de pouvoir. Tout cela, bien sûr, sans que cela n'ait rien changé à leur problème. À ce stade, il devrait être évident que *la volonté n'a rien à voir avec cette maladie*!

Le déni de la vérité ne s'arrête pas là. Beaucoup d'entre vous s'acharnent à porter des vêtements colorés, des bijoux ou des accessoires voyants, pour tenter vainement de masquer leur excès de poids. Il semble pourtant évident que vous devriez voir l'énormité de votre corps! Comment pouvez-vous refuser une constatation aussi évidente? L'explication est simple.

Les M.C. n'ont aucun sens de la réalité en ce qui concerne leur image corporelle. Ils ont connu tant d'années de «géométrie variable» – portant tantôt du 12 tout un été, pour arborer du 24 l'année suivante – qu'ils affirment facilement: «Mes vêtements ont rétréci dans la sécheuse.»

Vous maigrissez et grossissez si vite que vous attrapez un grand nombre de kilos sans même vous en rendre compte. Ne pas regarder les choses en face, c'est continuer le cycle des prises et des pertes de poids.

Après avoir pris puis perdu des centaines de kilos dans votre vie, tout vous paraît normal. Vous avez passé tant de matins à faire allégeance à cet objet de culte, que vous l'avez transformé en un dieu tout-puissant. La balance, elle, au moins, ne vous laissera pas tomber. Pourtant, ce dieu n'a aucun pouvoir sur le refus de la réalité.

Prenez le cas de Patricia. C'est une femme d'affaires, jolie et intelligente, avec une image précise d'elle-même. Elle s'était arbitrairement fixé un poids à ne pas dépasser. Entre 75 et 90 kilos, c'était son poids de maintien. Le chiffre auquel elle avait mentalement décidé de se maintenir. Tant que le grand dieu Balance affichait cette indication, tout allait bien dans son monde.

Quand elle essayait un nouveau régime ou à la veille d'un événement social, Patricia souhaitait descendre à 75 kilos. Le jeûne était donc le seul moyen d'y parvenir. À l'inverse, entre Noël et le jour de l'An ou après les vacances, elle s'attendait à se rapprocher de la barre des 90 kilos. Désagréable mais prévisible, compréhensible et acceptable. Cela correspondait à ses concepts, à ce qu'elle attendait de la vie.

Patricia savait que si, par hasard, elle atteignait 91 kilos, une sonnerie d'alarme retentirait pour la conduire à prendre des médicaments ou à se rendre dans une clinique spécialisée. Son image restait intacte et elle se sentait bien, puisqu'elle pesait moins de 90 kilos. Et puis un événement inattendu se produisit...

Un revers professionnel la conduisit à se réconforter en multipliant les excès. Elle se mit à dévorer pour pouvoir travailler tard et rattraper ses pertes. Durant trois mois, elle ne trouva pas le temps de monter sur une balance. C'est fréquent. Quand on refuse la vérité, il est normal de laisser tomber la balance, le compte des calories ou les vêtements ajustés. Patricia fonçait... oubliant tout le reste.

Quand la période de crise s'acheva et qu'elle retrouva sa balance, elle avait atteint 100 kilos! Incroyable! Ce chiffre ne collant pas avec l'image qu'elle avait d'elle, le déni de la réalité surgit alors comme un diable de sa boîte pour lui permettre de garder son image intacte: «La balance est cassée!» lui souffla son mauvais génie. Et la réponse de Patricia fut simple: elle jeta la balance.

Absurde? Peut-être! Mais pas rare chez les M.C. Nombreux sont ceux qui, pendant des années, cessent de se peser. Après avoir adoré le dieu Balance, ils la répudient. C'est ça, le refus de la vérité.

Patricia doit d'abord se peser. Puis affronter la réalité et abandonner son attitude de déni. Elle doit analyser ses réactions: pourquoi dévore-t-elle à la moindre contrariété? Ses problèmes lui servent d'alibi. Pourquoi? Pour supprimer l'excès alimentaire, elle devra peut-être dire non à l'excès de travail. Certes, plutôt que de changer sa vie, elle préférerait suivre un régime. Mais elle doit assumer ce risque si elle veut guérir.

La réalité psychologique peut se refuser aussi bien que la réalité physique.

Votre vie regorge de secrets soigneusement dissimulés, tant aux autres qu'à vous-même. Vous cachez vos habitudes alimentaires et vivez les tourments de l'enfer. Vous vous livrez rarement aux autres. Cela est valable aussi bien pour les «gentils compagnons», toujours charmants et affables, que pour les «durs», les caractères forts qui attaquent de front et ne semblent jamais témoigner de faiblesse. Ces deux images stéréotypées, propres aux boulimiques, s'excluent mutuellement. Mais vous devez accepter le fait que votre maladie est à la mesure de votre manie du secret. Sans la nourriture, la «grosse dame gentille» risque de découvrir la «garce» qu'elle cache en elle, et le «conquérant de l'impossible» menace de s'écrouler.

Marnie, une fille joyeuse et compétente, perdait du poids sans problème lorsqu'elle fut confrontée à son système de déni. «Mais je viens de perdre 60 kilos! Pourquoi aurais-je besoin d'aide?» protesta-t-elle lorsque je lui demandai si elle voulait être soignée.

Marnie pesait 275 kilos! Elle respirait avec difficulté. Sa poitrine était si lourde que ses poumons ne pouvaient plus se remplir: elle avait des étourdissements par manque d'oxygène.

À l'issue de l'une de mes conférences d'aide aux boulimiques, elle vint me trouver pour me demander du travail, disant qu'elle était une excellente secrétaire. Je souris, pris son numéro de téléphone et promis de l'appeler la semaine suivante. Je pensai que nous étions conscientes, l'une et l'autre, que sa démarche visait plus à obtenir de l'aide qu'un véritable travail.

Aussi fus-je très surprise de l'entendre reparler de cet emploi à notre rendez-vous. Son système de déni était si élaboré qu'il lui masquait parfaitement la réalité. Comment expliquer autrement qu'une jeune femme de 275 kilos prétende ne pas avoir besoin d'aide? Marnie voulait s'en sortir, pourtant elle n'admettait pas avoir besoin des autres. Elle était terrifiée à l'idée de l'ampleur du problème. Après avoir déjà perdu un grand nombre de kilos, elle cherchait à se persuader de ce que clamait son refus: «Je peux y arriver toute seule.»

En avançant dans notre thérapie, nous découvrîmes que le poids de 60 kilos qu'elle prétendait avoir déjà perdu n'était qu'un chiffre en l'air dans la mesure où elle ne pouvait plus se peser sur une balance. Elle admit également qu'elle était sans doute en train de les reprendre progressivement, car ses vêtements recommençaient à la serrer.

Dépasser le poids maximal mesurable par sa balance était assez sécurisant, car la graisse pouvait venir et repartir sans être vue. Sans preuve évidente, Marnie pouvait aisément refuser le problème. Parce qu'elle avait été obèse toute sa vie, une variation de poids de 10 à 15 kilos en quarante-huit heures était pour elle une chose normale.

À sa première visite à l'hôpital, elle mit en avant ses qualifications et réussit à convaincre la conseillère de son aptitude à gérer efficacement son travail. Par contre, son corps attestait d'un manque de gestion personnelle. Nous dirigeâmes alors en douceur la conversation sur ses soucis psychologiques. La conseillère, une ancienne boulimique en cours de rétablissement, parla de sa propre perte de poids d'environ 50 kilos et de la manière dont elle dissimulait autrefois son obésité. Marnie, grâce à cela, s'ouvrit et finit par admettre qu'en travaillant avec nous, elle espérait recevoir du soutien. Plus tard, elle reconnut avoir voulu ainsi éviter la thérapie et dissimuler son douloureux besoin d'aide. Pour protéger son propre déni, elle cherchait à secourir les autres. Mais, dans la vie, rien ne se passe par osmose.

En cas de dépendance, la reconnaissance de son propre déni et l'acceptation sincère de son besoin d'aide, professionnelle ou non, constituent les éléments essentiels de tout programme de rétablissement. La famille, les amis ou les personnes rencontrées aux Outremangeurs Anonymes peuvent vous soutenir. Pour guérir, il faut devenir fragile et savoir demander de l'aide.

LES CODÉPENDANTS NIENT AUSSI...

Le même espoir «d'arranger tout cela dès lundi» et la même façon de minimiser l'obsession interviennent aussi chez les codépendants. En fait, dans bien des cas, le codépendant refuse encore plus la vérité que le M.C. Il nie la gravité de l'affection qui, prétend-il, se réglera vite, ce qui incite d'autant plus le M.C. à manger en attendant.

Voici un exemple de scénario usuel entre un codépendant et une M.C.:

La M.C.: Tu trouves que je suis aussi grosse que la dame là-
bas?

Le Cod.: Je ne sais pas, c'est difficile à dire.

La M.C.: Regarde mieux. Je veux savoir la vérité.

Le Cod.: Bien, euh, non, je ne pense pas. Je crois qu'elle est
plus grosse que toi.

La M.C.: Merci, je voulais vraiment savoir la vérité.

Je n'ai pas d'exemple d'un codépendant ayant répondu: «Franchement, tu es bien plus grosse que cette dame.» Si la M.C. savait qu'elle allait obtenir cette réponse, elle ne poserait certainement pas la question. Elle le demande seulement lorsqu'elle est sûre que la personne va la maintenir dans son système de déni.

Le codépendant en jouant le rôle du parent qui punit constitue une autre façon de refuser la vérité. Dans ce cas, il parle franchement et dit: «Tu es grosse.» Mais il s'exprime de manière à minimiser la difficulté pour la M.C. Il la cajole, la manipule avec des suggestions de régime ou de contrôle de la nourriture. Même s'il crie ou menace, tout permet de continuer à croire que la volonté arrangera tout.

Le Cod.: Pourquoi ne fais-tu rien pour ton poids?

La M.C.: Mais j'essaie. Je veux réussir pour toi.

Le Cod.: Tu parles! Tu t'en fiches bien!

La M.C.: Pas du tout, je voudrais que tu sois fier de moi!

Le Cod.: C'est sûr! Si tu m'aimais vraiment, tu ferais attention!

La M.C.: J'essaie, mais je n'y arrive pas.

Le Cod.: Je ne te crois pas. Tu sais, si tu ne t'y mets pas, moi, je vais te quitter!

Dans ce dialogue, le codépendant, meurtri et désillusionné, devient répressif jusqu'à nier les efforts de la M.C. qui ne cesse d'échouer.

Si tel est votre cas, vous vous refusez à le croire et vous vous sentez impuissant. Vous prenez l'affaire trop à cœur. «Si tu m'aimais...» Or, le problème du M.C. n'est pas un défi qu'il vous oppose. Il ne fait pas exprès. Il n'agit ainsi qu'en raison de sa maladie. À ne pas reconnaître la nature de cette affection, on agit plus sur les symptômes que sur les causes.

Certains souffrent de maladies chroniques comme l'alcoolisme, le diabète ou la tuberculose. Comme dans le cas de l'alcoolisme qui pousse les patients à boire, les désordres alimentaires font que les malades se jettent sur la nourriture. Personne ne dira jamais à un tuberculeux: «Cesse de tousser, si tu m'aimes.» Alors pourquoi croire que s'arrêter de manger puisse avoir un rapport avec l'amour?

Une réponse plus saine consisterait à dire: «Chéri, je suis content que tu me demandes mon opinion. Je sais que tu m'aimes mais tu te fais du mal. J'ai remarqué que tu souffrais de ton poids, que cela te culpabilisait et t'effrayait. J'ai l'impression que tu es motivé pour essayer de t'en guérir. Je peux t'offrir mon amour et mon soutien si tu es décidé à chercher une aide extérieure. Tu ne peux pas y arriver seul. Je ne peux pas te soutenir personnellement.»

Dès lors, la façon dont le M.C. trouvera de l'aide n'est plus de votre ressort. Il peut se faire soigner en milieu hospitalier, se faire assister d'un(e) ami(e), s'inscrire à un programme de perte de poids ou, comme je le suggère, rejoindre les Outremangeurs Anonymes.

En tout état de cause, vous devrez le soutenir. Mais aussi étrange que cela puisse paraître, vous ne pouvez pas vous investir personnellement dans ce soutien. Vous aurez vous-même besoin d'aide pour le laisser se reprendre en main seul.

LE REFUS DE LA VÉRITÉ

Parmi les phrases suivantes, remarquez celles que vous avez pu dire ou penser au cours de l'année écoulée:

- Je ne trouve plus ma balance.
- Je me maintiens toujours dans une fourchette de poids stationnaire.
- Ma coiffure m'allonge.
- Ma nourriture n'a rien à voir avec mon surplus de poids. Ma balance est cassée.
- La sécheuse a rétréci mes vêtements.
- Ce n'est qu'un léger inconvénient que je réglerai dès que je le voudrai.

- Je peux me mettre au régime et perdre du poids dès que je le souhaite.

- Je commencerai demain ou lundi prochain.

- C'est un projet facile qui ne demande ni trop d'efforts ni un changement radical dans ma vie.

- Ce n'est rien. Je vais m'en sortir seul.

- Tout ce qu'il me faut, c'est un peu de volonté.

- Je réussis très bien dans d'autres domaines, je devrais y arriver très facilement.

- Ce n'est pas ma faute. Avec un tel mari ou une telle femme ou une telle mère ou un tel père, tout le monde mangerait de la sorte.

- Je mange comme ça pour pouvoir accomplir mon travail.

- Je ne mange pas beaucoup. Je picore comme un oiseau. Mon corps n'est pas moi. Je suis tout autre.

- Je perds du poids aussi vite que je le reprends.

- J'aime les vêtements qui amincissent.

- Je crois que je fais un peu de rétention d'eau.

Si vous avez pensé une de ces phrases à deux ou trois reprises l'année dernière, le refus de la vérité est peut-être un des principaux problèmes auxquels vous avez à faire face.

En vous cantonnant à ce stade de déni, vous évitez l'acceptation de la réalité.

JE SUIS FOU DE COLÈRE

«Pourquoi moi? C'est trop injuste!» Bien sûr, vous avez raison. «Regardez cette grande asperge là-bas, elle mange tout ce qu'elle veut sans prendre un kilo! Pourquoi ai-je tiré la mauvaise carte? Pourquoi dois-je vivre si rigoureusement et me priver sans cesse?» Et de vous lamenter sur votre sort...

En tant que M.C., et quel que soit votre sexe, vous êtes furieux contre Dieu, contre le destin, contre la société qui vous impose des normes physiques de minceur aussi draconiennes. Sur la plage, vous vous mettez à haïr un enfant qui crie: «Regarde, maman, la grosse dame, là-bas!» ou encore «T'as vu ce bonhomme, on dirait un ballon.»

Les années perdues, les promotions non décernées et les sorties refusées vous mettent hors de vous. La colère, même si elle s'exprime difficilement, est sûrement le sentiment le plus répandu parmi les M.C. Pendant d'innombrables années, vous avez pratiqué l'art de «plaire aux autres» pour vous faire accepter en dépit de votre aspect physique. Afin que personne ne remarque vos kilos, vous avez surcompensé en redoublant d'activité ou en aidant vos amis. Mais, en votre for intérieur, bien cachée, c'est la rage qui l'emportait.

Cette colère camouflée, vous devez la laisser remonter à la surface.

Il serait vain de croire que quelqu'un qui a passé sa vie à se duper et à mentir à tout son entourage va brusquement devenir un être serein, satisfait et content de lui.

Vous devez d'abord laisser percer votre rage. En général, il en faut très peu pour que cet accès de colère explose. Dès que vous cesserez de manger de manière désordonnée, la colère montera; cette rage bouillonne en vous, à fleur de peau, uniquement contrôlée grâce à l'aspect sédatif de la nourriture. Avez-vous remarqué, dans votre foyer, comme vos proches vous semblent énervants le jour où vous vous mettez au régime? Mais qui est responsable? Eux ou vous?

La colère doit être non seulement permise mais provoquée et encouragée. Aux abris, les codépendants! Cette rage s'exerce souvent à l'encontre des proches et des êtres chers, et particulièrement contre ceux qui cherchent à aider. Voyez-vous, votre meilleure alliée, la nourriture, vous a été enlevée; et tous vos intimes semblent en porter la responsabilité. Vous devez donc exploser. Il n'y a vraiment pas lieu d'être heureux à l'idée de souffrir d'une maladie chronique et d'avoir à affronter la vie sans le secours de la nourriture. Pour l'instant, vous ne connaissez pas d'autre moyen de faire face, et vous avez toutes les bonnes raisons du monde de vous sentir effrayé et furieux.

En tant que codépendant, si vous choisissez de rester présent, apprenez à vous cuirasser, car le M.C. va laisser libre cours à sa bile. Vous devez donc choisir de l'écouter ou, au contraire, de le laisser s'en prendre aux autres. Rien ne vous oblige à jouer les «dépotoirs».

Dans la Rome antique, on coupait la langue des messagers porteurs de mauvaises nouvelles: les Romains s'en prenaient directement à la source de l'information. C'est exactement la même tactique que le M.C. emploie à l'égard de ceux qui cherchent à l'aider. Quand il se rend compte de la difficulté, il explose de manière aveugle. Mais rien ne vous oblige à supporter le flot de ces épanchements. Cette colère n'a pas à s'exercer obligatoirement à votre encontre. Si vous savez prendre du recul, le M.C. trouvera d'autres cibles sur lesquelles il pourra diriger sa rage trop longtemps contenue.

Il est indispensable que cette agressivité s'exprime, car elle n'a pas d'autre alternative que la dissimulation par l'excès de nourriture. *Soyez en colère aujourd'hui ; vous serez mince demain.* Le codépendant, lui, n'a pas d'autre choix que de supporter ou de se mettre à l'abri.

LAISSER LIBRE COURS À SA RAGE

Voici certaines phrases que vous avez sûrement pensées ou dites au cours de la dernière année. Notez-les dans votre journal.

- Ce n'est vraiment pas juste !
- Qui m'empêche de manger ?
- Comment diable pourrais-tu m'aider ?
- Tu ne sais pas comment m'aider !

- Cette garce est si maigre qu'elle peut manger tout ce qu'elle veut.
- Ces vêtements sont faits pour se déchirer. Quelle saleté !
- Il faut vraiment être sans pudeur pour étaler son corps comme cela.
- Je sais qu'ils cherchent tous à m'avoir !

Ajoutez-y toutes les phrases personnelles de colère que vous réprimez (votre agressivité souffre de si nombreux blocages qu'elle est souvent masquée par un sourire).

Ne vous inquiétez pas si la colère ne se manifeste pas immédiatement. Vous n'avez rien d'autre à faire que de mettre un frein à vos excès alimentaires et, croyez-moi, elle ne tardera pas à apparaître. Noyée sous la nourriture, la rage est sous-jacente et elle n'attend que le moment de faire surface.

J'ai connu une malade qui ne passait pas par ce stade de la colère. Plus elle demeurait plaisante, plus j'étais inquiète pour sa guérison. Rien ne l'irritait. Et cela ne collait pas ! Jusqu'au jour où elle me révéla enfin la vérité : elle admit que, tard la nuit, elle volait de la nourriture dans le frigo. Elle avait réussi à contenir sa rage grâce à ce dérivatif familier bien connu : la nourriture.

Le vomissement est une méthode qui paraît appropriée pour exprimer sa colère. Ce fut le cas de Cindy, une adolescente de quatorze ans, qui préférait vomir dix fois par jour plutôt que de confier aux autres ses secrets de famille et ses colères. Cindy devint le «symptôme de la famille» dès qu'elle chercha de l'aide pour arrêter de vomir.

Mel, son père, était un entrepreneur, un homme respecté occupant une position en vue. Séduisant et imposant, quoique un peu «enveloppé», il paraissait bien conservé. Il avait épousé Janelle, qui était devenue son assistante et avait su, avec compétence, se hisser jusqu'au sommet de l'échelle. Dans son enfance, les parents alcooliques de Janelle s'étaient séparés alors qu'elle n'avait que neuf mois. Ayant partagé les inquiétudes et l'insécurité financière de sa mère au cours de sa vie, Janelle avait donc formulé le vœu d'épouser le succès et y était effectivement parvenue, en faisant tout pour réconforter et rendre heureux son mari. Cependant, alors que leur fille Cindy entrait dans l'adolescence, Mel et Janelle étaient sur le point de divorcer. Personne ne s'adressait plus la parole; tous bouillaient d'une rage intérieure.

Janelle était mince comme un clou. Le visage fermé, le regard perçant, le corps raide et crispé: tout trahissait l'émotion rentrée. Assise, elle dissimulait sa rage derrière une immobilité parfaite que démentaient ses poings crispés sur ses genoux. Janelle s'accrochait à sa précieuse vie.

Cindy, de son côté, exprimait la rage maternelle en se gavant et en vomissant. Obsédée par les hydrates de carbone, elle voulait devenir aussi maigre que sa mère. Mais elle ne savait pas, comme elle, se consumer de l'intérieur (Janelle avait été précédemment traitée pour des ulcères et des colites consécutifs au blocage de ses émotions). Cindy cherchait à rendre compatible son amour de la nourriture et son désir de minceur. Mais, captant tous les sentiments de sa mère et incapable de les gérer, les vomissements étaient devenus la seule solution opérationnelle pour elle.

Lorsque j'évoquai la nécessité de traiter toute la famille, Janelle se déroba: «Je suis sur le point de divorcer. Je ne souhaite plus être amenée à reparler de ce mariage.» J'ignorais que, depuis dix-neuf ans, elle ne cessait de répéter cette même explication.

Plus tard, elle me confia qu'elle ne restait au foyer que «pour assurer sa sécurité financière» et ne pas subir des épreuves comparables à celles endurées par sa mère. (En fait, non contente d'avoir déjà vécu les souffrances de sa mère, elle y rajoutait les siennes. Et Cindy, de la même manière, endossait la peine de Janelle.)

Mel, quant à lui, culpabilisait énormément à cause d'une liaison extraconjugale. Sa relation secrète avec sa secrétaire ayant été découverte, il avait dû y mettre un terme et renvoyer sa maîtresse. Mais plus tard, il avait renoué secrètement cette liaison, à l'insu de tous, sauf de la jeune Cindy dont il se servit comme d'une confidente, lui conférant ainsi un rôle privilégié mais anormal au sein de la famille.

Au moment où Cindy aurait dû normalement se préparer à sa future indépendance, il l'utilisait comme le centre des communications de la famille ; l'adolescente se retrouvait doublement prisonnière. Vomir devint sa seule issue de secours.

Au fur et à mesure du rétablissement, chacun dans la famille apprit à se comporter plus honnêtement. Les secrets commencèrent à percer au grand jour.

Mel, accablé, avoua sa culpabilité et confessa son désir de tout entreprendre pour en finir avec cette série d'épreuves. Il cessa de se mortifier et comprit qu'il avait droit à sa part d'amour et de soutien, même s'il n'avait pas su se réaliser dans ce mariage.

Janelle, quant à elle, avoua qu'elle était au courant de la reprise de la liaison, mais qu'elle restait afin de trouver le temps «de mettre de l'argent de côté». Elle n'admettait pas que, contrairement à son père, Mel aurait volontiers divorcé en convenant d'un arrangement financier. (D'ailleurs, le couple vivait sous un régime de communauté fondé sur un partage à égalité des biens, ce qui prouve sans doute que Janelle restait pour des raisons autres que financières.)

Cindy se trouva délivrée de son rôle de détentrice des secrets familiaux et lorsque tout fut enfin révélé au grand jour, elle mit un terme à ses vomissements. Les plans de chacun étant dévoilés, elle put enfin s'occuper d'elle et donner toute la priorité à sa maladie. Comprenant que la mésentente et les difficiles relations unissant ses parents existaient bien avant elle, la jeune fille perçut que ce problème n'était pas de son ressort. Puis, ses parents entrèrent dans la phase de conciliation précédant le divorce, et Cindy ne se préoccupa plus que de devenir une adulte. Au lieu de passer par son entremise, Mel et Janelle durent trouver un chemin plus approprié pour exprimer leur colère.

MARCHANDONS UN BRIN

Vous voudriez garder un certain pouvoir sur votre maladie. Vous voudriez la contrôler; changer les effets sans en altérer les causes. Mais, *c'est impossible*! Il est impossible de conserver son «vieux moi» et de guérir quand même. Votre vie doit d'abord changer afin que l'obsession s'efface. Personne n'ayant envie d'entendre cette leçon, tout le monde cherche des moyens plus faciles, des méthodes plus aisées. On se contente d'appliquer des demi-mesures.

C'est exactement la définition du régime. Vous cherchez à vous persuader qu'il ne s'agit que d'un problème purement physique: «C'est un trouble glandulaire», «Je souffre d'un diabète graisseux. Un régime protéiné fera l'affaire.» Vous marchandez ainsi avec la maladie, et ce processus de refus vous permet de vous masquer la gravité de votre état.

De la même manière, vous tentez de marchander le temps et les efforts nécessaires. «Je n'assisterai qu'à une réunion par semaine» ou «Je ne veux pas annuler mes vacances sous prétexte qu'elles tombent en plein milieu du programme de traitement.»

Vous remettez en cause non seulement le sérieux nécessaire pour votre rétablissement, mais également tout ce qu'il vous faudra changer dans votre personnalité. «Je souhaite régler la situation avec ma sœur, mais je ne veux pas en parler à ma mère» ou «Mon époux et moi, nous pourrions en bénéficier, mais je ne vois pas la raison d'y mêler les enfants» ou encore «Je ne veux pas leur demander de l'aide.»

Au stade de la colère, c'est la rébellion ouverte: «Pourquoi moi? Je n'en veux pas. Donnez ça à d'autres!» Puis, parvenu à l'étape du marchandage, vous acceptez la notion de maladie et la difficulté de la guérison. Mais... vous prétendez encore y parvenir par vous-même. Ce stade est aussi drôle que nuisible. Vous essayez tous les régimes à la mode, les pilules, les piqûres, les traitements d'acupuncture, la méditation, l'hypnose, les boissons protéinées, les produits diététiques et ainsi de suite...

Tout cela est de courte durée. Chaque nouvelle tentative ne fait que prolonger l'état de mensonge et entretenir la désillusion. Alors que vous êtes en train de crever de l'intérieur, vous persistez à croire ce mythe de l'autosuffisance. Nombreux sont ceux qui perpétuent ainsi la phase de marchandage et refusent les changements majeurs qui conduisent à un rétablissement stable et définitif.

À l'inverse, certains patients tentent de changer leurs relations, sans toutefois renoncer à leur obsession alimentaire.

Ainsi de nombreux thérapeutes comptant parmi mes amis aident sans relâche des malades pour mieux masquer leur propre besoin de continuer à manger frénétiquement. Participant à des séminaires ou à des retraites, ils étudient les interprétations psychologiques, la méditation, la danse des soufis ou les explosions reichiennes, tout en continuant à se bourrer de noix, de fruits ou de céréales «diététiques». Certains, après s'être empiffrés pendant des semaines, vont suivre une «cure de jeûne» dans un établissement spécialisé, pour mieux recommencer ensuite.

En prétendant que seule l'introspection conduit à la guérison, ils continuent à marchander leurs excès alimentaires. Pourtant, l'introspection non accompagnée d'abstinence ne suffit pas. Nous souffrons d'une maladie tant physique que psychologique, dont on ne peut traiter un aspect sans soigner l'autre. C'est un tout!

À cette étape du marchandage, on peut aussi rattacher les innombrables approches où on refuse de considérer les bases structurelles de la personnalité, pour se concentrer seulement sur l'aspect physique. Cela comprend les médicaments, les injections ou les pilules, mais aussi les clubs de régime, les séances d'exercice physique intense, les thalassothérapies, les cures «spéciales obésité», les chirurgies esthétiques, les traitements de choc, les conseillers nutritionnels et toute la vaste littérature sur ce sujet. (Ces innombrables volumes sur lesquels les M.C. se précipitent avec voracité et qui, tous, tentent de faire croire à la facilité de la tâche.)

D'habitude, ce marchandage s'applique sélectivement à certains aspects de la vie. On se compartimente en imaginant un irréaliste pouvoir de l'esprit sur le corps ou inversement. Ces approches sont incapables d'intégrer à la fois l'esprit, le corps et l'âme. Or, pour se rétablir durablement, on doit toucher tous les aspects de la maladie.

La plupart de ces méthodes prétendent que la guérison ne dure qu'un temps limité et qu'après avoir suivi un traitement approprié, on en a définitivement fini avec le problème. Comme vous avez envie de croire à cette idée d'action possible une fois pour toutes, cela vous apparaît comme une sorte d'exorcisme. «Une superbe occasion»: tel est le souhait perpétuel du boulimique, qui, pourtant, n'a d'autre effet que de l'entretenir dans son obésité.

Morris faisait partie de cette race. Grand, blond et énorme, il pesait 270 kilos à trente ans. Le jour où il entra dans la salle où je prononçais une conférence, le public s'écarta. Sa corpulence était impressionnante. Il avait l'habitude de semer ainsi la panique et de voir les gens s'éloigner de lui. Plus tard, il reconnut que cela le troublait, car, en son for intérieur, il se sentait fragile. Quand il mit un terme à ses excès alimentaires, il eut l'impression de se retrouver comme un petit garçon et non plus comme un géant. Tout le monde le croyait costaud et solide, alors il jouait ce rôle à l'intention de son public.

Aucun siège n'étant assez vaste pour l'accueillir, il s'appuya contre le mur du fond et m'écouta. J'avais à peine fini de prononcer mon introduction qu'il m'interrompit par un flot de questions:

— Pourquoi parlez-vous de maladie? Ne craignez-vous pas de décourager les gens?

J'expliquai que la reconnaissance de la difficulté favorise la guérison ; mais il explosa de nouveau :

— Mais enfin, c'est une simple question de volonté ! Si on le veut vraiment, on est sûr d'y arriver...

Je m'enquis alors de savoir s'il parlait par expérience.

— Je souffre d'un problème de poids depuis des années, me répondit-il, mais je n'ai jamais vraiment essayé de maigrir. D'ailleurs, ce n'est pas un problème. Je suis plein d'énergie et je me sens très bien. Mes amis me connaissent tous comme un boute-en-train. Je ne comprends pas pourquoi vous traitez les obèses de malades.

Le public lui intima alors de se tenir tranquille et de me laisser poursuivre ; je dois avouer qu'il m'avait quelque peu décontenancée.

Morris resta muet pendant tout le reste de la conférence, puis il s'éclipsa discrètement au moment des questions particulières.

Une semaine plus tard, il m'appela au téléphone. Sans le moindre préambule et sans même mentionner son nom, il lança :

— Je veux en savoir plus sur vos activités.

— De quoi parlez-vous ? dis-je.

— Quel genre de traitement préconisez-vous ?

Reconnaissant alors sa voix bourrue, je lui demandai son nom :

— Vous n'avez pas besoin de le savoir pour le moment. Je veux d'abord être sûr que vous avez quelque chose à offrir qui m'intéresse.

— Ne m'avez-vous pas dit que vous n'aviez jamais suivi de régime et que votre poids n'était pas un problème ?

— J'en suis toujours persuadé, et je ne crois pas avoir besoin d'aide. Mais c'est l'entraîneur de mon équipe de basket qui me harcèle.

Je fus littéralement suffoquée de découvrir qu'un homme d'une corpulence aussi grotesque pouvait pratiquer un tel sport. Combien aurait-il pesé sans cela?

Je commençai néanmoins à évoquer le régime standard suivi avec succès par mes malades, expliquant, entre autres, la nécessité d'assister à trois séances hebdomadaires de thérapie de groupe.

— Ridicule! Je ne peux pas prendre ce genre d'engagement. Je ne vais certainement pas laisser tomber le sport pour cela. Mon entraîneur serait furieux.

Sur ce, il remercia et raccrocha.

Deux mois plus tard, il rappela de nouveau.

— L'entraîneur commence vraiment à me persécuter.

Tout de suite, je compris de qui il s'agissait et, cette fois, j'évitai de m'enquérir de son nom.

— Bon, je pourrais suivre votre programme, mais en ne venant qu'une fois par semaine. Comme ça, je pourrais continuer régulièrement le sport.

— Désolée, dis-je. Mais nous avons constaté l'efficacité du rythme prescrit, et je pense que vous avez droit au traitement complet.

En effet, j'avais remarqué que l'unanimité d'un groupe sur un même programme donnait de meilleurs résultats, et que les exceptions et les cas particuliers constituaient autant de sources de complications ou d'erreurs.

Dans la plupart des hôpitaux, les équipes chirurgicales confirment cette analyse. Quand on admet en chirurgie un docteur ou son épouse, le nombre de complications est statistiquement plus élevé, quelle que soit l'intervention pratiquée. Au lieu d'agir comme à l'accoutumée, chacun s'applique de son mieux et ce zèle excessif conduit à l'incompétence et à son cortège de problèmes. Comme je tentai d'expliquer ces faits à Morris, il raccrocha brusquement.

Mais, le même mois, il rappela encore. Dès que j'eus décroché, il attaqua :

— Vous ne nierez pas qu'une activité sportive soit importante pour le bien-être physique et moral ? Je suppose que vous êtes convaincue des vertus de l'exercice pour un corps sain ?

— Bien sûr, répondis-je. Mais cela ne vous a pas aidé à couper court à vos boulimies.

— Comment savez-vous ce que je mange ? D'ailleurs, cela ne vous regarde pas !

— Je suis sûre que quelqu'un de votre corpulence, pratiquant en outre un exercice physique important, doit manger considérablement. Votre activité vous sert peut-être même d'alibi pour continuer à vous gaver.

Il raccrocha. Et, cette fois-ci, je n'entendis plus parler de lui pendant un trimestre. Quand enfin il appela, il semblait au désespoir. Il avait perdu toute combativité et sa voix n'était que douleur.

— J'ai essayé de m'y mettre tout seul. Au début, ça marche une semaine ou deux, mais je finis toujours par craquer. Mon appartement est jonché de déchets et d'emballages vides. À côté de mon lit, il y en a une pile d'au moins un mètre.

— Nous sommes nombreux à avoir partagé votre expérience, répondis-je. Plus nous essayons de nous contrôler, plus nous sommes dominés. Je suis heureuse de votre appel. Pourriez-vous me dire votre nom ?

Il m'avoua alors s'appeler Morris. Mais il ajouta rapidement que si les autres connaissaient le même phénomène, son cas était néanmoins «assez différent». Il se définit comme un jeune et brillant ingénieur, doublé d'un athlète, ce qui, selon lui, rendait sa situation très particulière.

— Étant très intelligent, je retiens et je comprends très rapidement, plus vite que la moyenne des gens, tenta-t-il de me faire valoir. Ne croyez-vous pas que je pourrais assister à votre thérapie moins souvent que les autres?

Son ton, autrefois hostile, était devenu implorant. Je persistai néanmoins dans mon refus.

— Je vous assure que mon conseil est entièrement fondé sur une grande expérience professionnelle. Pourquoi gâcher votre chance et refuser cette opportunité de guérir?

— Vous n'êtes pas près d'entendre reparler de moi, lâcha-t-il brièvement. Et il coupa brusquement la communication.

La lecture de cet exemple vous montre comment cet homme était passé du stade de la dénégation à la phase du marchandage du traitement recommandé pour son rétablissement, pour finalement déboucher sur la colère envers moi, alors que je lui offrais la possibilité de l'aider.

Ce genre de négociation pour en faire le moins possible fait partie de la phase du marchandage. Dans notre jargon, nous parlons alors de «particularisme» ou d'«originalité terminale».

L'ORIGINALITÉ TERMINALE

- Si certains paient le prix fort, moi, je veux y mettre le minimum.
- Mon cas est différent.
- J'ai besoin d'un traitement spécial.
- Mon cas n'est pas aussi grave.
- Faisons un marché.
- Personne ne peut me prendre le meilleur de moi- même.
- Je ne suis pas un idiot, comme les autres malades.

Les désordres alimentaires, qui touchent au cœur de la faiblesse humaine, nous jettent malheureusement tous à terre. Personne n'est «meilleur» ou «pire»: nous sommes tous du même sang.

Morris se servait du basket comme d'un alibi pour se sentir différent. Sur le terrain, son ego conservait une certaine sérénité mais quand il se retrouvait seul devant sa télé avec un sac de biscuits, il était submergé par un besoin de chaleur humaine.

Quatre mois plus tard, et après avoir pris 10 kilos supplémentaires, il fut finalement expulsé de l'équipe. Dans son cas, l'entraîneur avait servi de codépendant, en essayant de lui faire accepter son aide sans toutefois la lui imposer, car il avait besoin de lui dans l'équipe. Morris était en effet une «star» dont le moral et l'entrain étaient indispensables à l'esprit des joueurs; et l'entraîneur souhaitait garder cet homme, en dépit de son problème physique. Cependant, après cette ultime prise de poids, l'entraîneur s'effraya de le voir s'agiter sur le stade, rouge et bouffi au point qu'une attaque cardiaque semblait imminente. Dès lors, il n'eut plus le choix, et la tentative de marchandage de Morris n'eut d'autre conséquence que de lui coûter sa place.

Morris ne m'avoua jamais clairement son besoin d'aide. Quand il renoua le lien, ce fut simplement pour dire: «Ici Morris, où dois-je m'inscrire?» Dans ce cas précis, il lui avait fallu perdre la raison même de son marchandage pour accepter de s'impliquer dans son rétablissement. Parfois, c'est l'élément auquel nous nous accrochons désespérément que nous devons abandonner en priorité. Ici, c'était le basket; en d'autres cas, cela peut être une maison, un travail, un conjoint, une voiture ou des enfants. Il faut se convaincre qu'on doit d'abord *perdre pour gagner*.

Finalement, Morris gagna beaucoup plus qu'il ne perdit. Il put réintégrer son équipe après avoir perdu 150 kilos! Aujourd'hui, il est marié et père de famille. Et, s'il joue toujours au basket, il lui arrive de lâcher puis de reprendre: il n'est plus «possédé» par le sport. Plus besoin de flatter son ego pour compenser son apparence physique: personne ne recule plus lorsqu'il entre dans une pièce. En fait, il est devenu si chaleureux et si sympathique qu'on s'empresse de chercher sa compagnie.

Voilà bien un marché gagnant!

LE MARCHANDAGE PERDANT

Vérifiez si vous avez eu l'occasion de penser ou de dire une de ces phrases au cours de l'année écoulée. Notez-les dans votre journal personnel.

- Je suivrai mon régime du lundi au vendredi, pour pouvoir faire un gueuleton durant le week-end.
- Je ne mangerai qu'aux repas et non entre deux.
- Je prendrai de plus petites portions plusieurs fois par jour.
- Je ne mangerai que dans la cuisine.
- Je vais m'offrir pour 300 $ de sessions au gym. J'irai passer deux semaines en thalassothérapie.
- Je compte m'acheter un vélo stationnaire.
- J'irai régulièrement au sauna.
- Je porterai un vêtement de sudation.
- Je vais suivre un traitement spécial contre la cellulite.
- Je vais subir une chirurgie pour me faire réduire l'estomac.
- J'ai décidé de prendre des pilules coupe-faim.

Si vous le désirez, vous pouvez ajouter à cette liste vos propres marchandages particuliers.

C'EST NORMAL DE SE SENTIR MAL

Notre société moderne n'apprécie pas que l'on se sente mal. «Gardez la tête haute», «Accrochez-vous un sourire» ou «Cessez de vous apitoyer sur vous-même», dit-on. Malgré cela, il est indispensable que le M.C. prenne conscience de sa douleur et de sa condition désespérée.

Vous devez regarder en face cette maladie tragique et accepter les sentiments de deuil et de perte qui en découleront. Vous devez mettre un terme à cette perpétuelle illusion qui vous fait croire que vous n'avez pas de problème. Cela vous attristera. Mais la vie n'est pas un jeu. C'est la vie. Et parfois, elle est loin d'être plaisante!

Rien ne s'arrangera tout seul; le rétablissement ne sera pas facile. À vrai dire, ce sera même la pire expérience qu'il vous sera donné de connaître. À côté, tout autre projet paraît dérisoire.

Jusque-là, vous avez vécu protégé par la nourriture, votre compagne de toujours. Maintenant, il va vous falloir perdre ce soutien et contempler en face votre jeunesse perdue ainsi que ces années gâchées par la maladie. C'est seulement en acceptant cette réalité que vous trouverez l'énergie nécessaire à la guérison.

Les réponses faciles que vous avez toujours souhaitées n'existent pas. La constatation de cette impossibilité risque de vous conduire au désespoir ou à la dépression: c'est comme un rêve perdu, comme l'espoir évanoui de voir enfin la minceur s'imposer un jour par miracle. En secret, tous les M.C. ont déjà prononcé cette prière: «Mon Dieu, faites que je réussisse et je ne me laisserai plus jamais regrossir.» Mais, tôt ou tard, ils ont tous repris du poids. Pour se rétablir, on doit d'abord commencer à faire son deuil de cette impossibilité d'un traitement simple et facile.

Nombreux sont ceux qui vivent un rêve éveillé et se préparent pour ce temps sans cesse repoussé où ils seront «devenus minces». Or, sans mesures draconiennes et sans une réorganisation en profondeur de votre vie, vous retomberez inexorablement dans le même cycle infernal. Pour accepter de cheminer vers un rétablissement, il faut d'abord accepter de changer de style de vie.

Carl Jung, le célèbre psychiatre, disait: «Il n'y a pas de prise de conscience sans douleur.» Le M.C. qui veut vraiment se rétablir doit abandonner les vieux schémas et accepter de renaître à une vie nouvelle. Cela signifie la douleur et les larmes. Si tel est votre cas, vous aurez à pleurer la perte de la nourriture et du réconfort qu'elle vous apportait. Ce lien, tel que vous l'avez connu, sera perdu à tout jamais, et un nouveau type de relation devra s'y substituer.

À ce stade, les codépendants se trouvent profondément affectés: ils doivent «relâcher» leur amour pour permettre au M.C. de faire l'expérience de sa douleur. En tant que codépendant, sans doute aurez-vous envie de le soutenir, de le protéger et de lui éviter cette souffrance. Vous chercherez peut-être à lui proposer d'autres activités pour le divertir; même si auparavant vous vous érigiez en juge et en critique, vous serez tenté de vous muer en sauveur suprême. Soyez bien attentif à vos actes. Peut-être n'essayez-vous en fait que d'atténuer votre propre souffrance. Dépité par l'infructuosité de vos efforts, vous touchez du doigt votre propre faiblesse.

Lorsqu'une de mes patientes se mit à pleurer en thérapie de groupe, son époux en fut fortement affecté, mais il n'eut d'autre réaction que de lui dire: «Viens, chérie, je t'emmène souper. Oublions tout ça.» En fait, à la place, il aurait dû lui offrir son amour et lui montrer assez de respect pour la laisser pleurer.

En tant que codépendant, le meilleur moyen d'aider un M.C. dans sa dépression consiste à se montrer exemplaire face à son propre problème. Quand vous aurez compris que son rétablissement implique un changement de vos relations, vous anticiperez tout ce que vous allez perdre et vous connaîtrez, vous aussi, une forme de désespoir et de dépression.

PERDRE POUR GAGNER

Pour toute la famille, le rétablissement est synonyme de perte. Après avoir été trop intime, chacun doit retrouver un peu d'espace vital. Chacun doit affronter la douleur de devenir adulte et de quitter le nid, chacun doit abandonner tout ce qui constituait autrefois sa sécurité pour aborder une nouvelle façon de vivre.

Il est vrai que, dans nos sociétés modernes, grandir et quitter un foyer prend plus de temps qu'ailleurs, ce qui explique peut-être l'important taux d'obésité observé en Amérique du Nord ou en Europe. À la différence des tribus primitives qui pratiquaient ces rites de passage dès le début de la puberté, nous conservons une certaine puérilité dans nos actes et nos sentiments, parfois jusqu'à nos derniers jours. Aussi n'est-ce pas par hasard que les désordres alimentaires apparaissent souvent dès l'adolescence. Peut-être ne nous apprend-on pas à maîtriser efficacement ces phases de croissance et de séparation.

À cet égard, les animaux se débrouillent mieux que les humains.

Cry of the Wild, un documentaire de la télévision britannique (BBC) consacré au renard roux d'Alaska, montre avec éloquence la réaction du monde animal face à ce phénomène. On y voit une tanière où, après la disparition de la mère, le père est resté seul pour élever sa progéniture.

Or, parvenus à l'âge de un an, les jeunes renardeaux doivent quitter le foyer, et c'est la tâche du père de les en chasser. Il s'ensuit une bataille sanglante. L'hiver approche, la tourmente menace et les renardeaux ne veulent pas partir. Mais le père est inflexible : «Vous devez ficher le camp», grogne-t-il en les poussant de force dehors. Ils se bagarrent toute la nuit, et lorsque l'aube paraît, les jeunes, aussi faibles et chétifs qu'ils soient, s'en vont la queue basse.

La scène est particulièrement poignante, surtout pour le père demeuré seul, sans femelle ni progéniture. Mais il doit le faire. Son instinct le pousse à forcer ses petits à devenir adultes quoi qu'il en coûte. Sans thérapie, avec le seul secours de son instinct, le renard accomplit son devoir.

L'hiver venu, il parcourt les bois en solitaire. Au printemps, les petits reviennent le voir. Ils ont radicalement changé. Des relations nouvelles se sont établies et certains arrivent accompagnés d'une femelle. Mais il est clair qu'ils sont *sur le domaine du père* et que leur visite sera brève avant de repartir courir les chemins.

Compère renard a offert un superbe cadeau à ses petits : il les a aidés à apprendre leur «différence». Il lui a fallu se battre pour faire passer le message, mais cela en valait la peine. Au retour des renardeaux, on constate une forme de respect mutuel. Il a su surmonter sa douleur pour les aider à se séparer et à devenir eux-mêmes.

Entre une mère et sa fille, c'est le même type de souffrance qui doit être accepté, sous peine de se couvrir de kilos pour trouver sa place et maintenir un espace. Vous devez donc admettre l'idée que la souffrance liée à la croissance est l'alternative aux douleurs qui découlent de vos troubles alimentaires.

CE QUE LE CODÉPENDANT PERD

- ### *Il perd la possibilité de prédire les réactions du M.C.*

Avant, tout était simple. Vous connaissiez exactement les paroles qui mettaient en fureur ou calmait votre M.C.; et il en savait autant de vous. Mais voici venu le temps des surprises.

Vous n'allez sûrement pas apprécier cette phase. L'ancien système vous paraîtra préférable. Vous saviez faire partir la machine au quart de tour. Certes, les rapports étaient nauséabonds, mais vous vous y étiez accoutumé. Au lieu de vous désespérer de la perte de l'ancien partenaire, vous pourriez jouir de l'excitation de cette première rencontre avec un «être neuf».

• *Il perd la sécurité*

Autrefois, vous aviez acquis une certaine sécurité en vous disant: «Je suis la meilleure chose qui lui soit jamais arrivée.» Aussi vous sera-t-il difficile d'entrer en compétition avec d'autres. Mais, à terme, vous retrouverez votre confiance, en constatant que votre partenaire, de son propre choix, demeure toujours avec vous.

• *Il perd un bouc-émissaire*

C'était facile autrefois de mettre tous les problèmes sur le dos du M.C. Mais qui blâmer à présent? Que se passera-t-il si l'état du M.C. s'améliore et que d'autres problèmes se présentent? C'est apparemment plus rassurant de prendre pour cible les désordres alimentaires mais c'est une fausse solution. En affrontant les problèmes de face, vous les soignerez au grand jour, plutôt que de les conserver sans les traiter.

• *Il perd son statut de martyr*

Vous ne pourrez plus être celui qui demeure stoïque en dépit des épreuves. Fini le prix d'endurance! En réalité, il vous arrivera même de voir le M.C. félicité pour son abstinence, et vous en concevrez peut-être une certaine jalousie! Mais vous trouverez bientôt le chemin de nouvelles récompenses et, au lieu d'être louangé pour votre capacité à endurer la souffrance, vous découvrirez un bonheur nouveau.

• *Il perd son rôle de sauveur*

Lorsque le M.C. assume entièrement la responsabilité de son processus de rétablissement, le codépendant a parfois l'impression qu'on lui arrache son enfant. De qui va-t-il s'occuper à présent? C'est dur de perdre ainsi son boulot... Il sera peut-être alors tenté de chercher un nouveau M.C. pour le secourir. Qu'il n'en fasse rien! Pourquoi ne pas se contenter d'être heureux sans personne à charge?

- ## *Il perd sa valeur de comparaison*

Votre identité était très liée à celle du M.C., et votre personnalité se définissait par comparaison. Vous aimiez vous dire: «Au moins, moi, je vaux mieux!» Qu'allez-vous penser à présent? Maintenant, vous serez conduit à définir votre personnalité réelle.

- ## *Il perd sa récompense*

Si vous acceptez sincèrement l'idée que le comportement du M.C. relève d'une maladie, vous devrez cesser de le blâmer. Cela représente un abandon important. Vous aimeriez peut-être qu'il expie son passé. Que ferez-vous alors de vos sentiments de vengeance?

En tant que codépendant, vous devrez aussi accepter les choix douloureux que vous avez faits. Personne d'autre que vous n'est responsable de votre passé. Tout comme le M.C., vous avez agi au mieux, en fonction de ce que vous pensiez alors. Certes, vous pouvez déplorer le temps perdu à souhaiter et à attendre en vain. Mais maintenant qu'il y a un espoir de rétablissement, vous devez vous sentir suffisamment sûr de vous pour accueillir votre douleur et pleurer sur votre sort. C'est le moment de pleurer pour ce que vous êtes devenu. À l'inverse des contes de fées, au lieu d'avoir réussi à transformer d'un baiser le M.C. en Prince charmant, vous voilà mué en **crapaud**!

TOUCHER LE FOND DE SA DÉPRESSION

Dans votre journal personnel, notez les phrases suivantes que vous reconnaissez avoir dites ou pensées:

- La situation est désespérée.
- Il semble que rien ne puisse m'empêcher de continuer à manger ainsi.
- Je ne peux plus continuer comme cela.

- J'ai vraiment fichu ma vie en l'air.

- Nous sommes tous les deux des échecs.

- J'ai bien peur que tu n'aies plus besoin de moi.

- Je n'ai pas su te parler.

- Nous avons, tous les deux, beaucoup perdu.

- Pourquoi ne nous en sommes-nous pas aperçus plus tôt?

- La nourriture ne fait pas le bonheur.

- L'absence de nourriture ne fait pas le bonheur. Cela n'en vaut pas la peine.

- Ce n'est pas juste.

- Si je change, j'ai peur que les gens cessent de m'aimer.

Ajoutez à cette liste vos propres réflexions.

ACCEPTER, ENFIN...

Lorsqu'on accepte la dépression, elle finit par passer. Mais si on la refuse, elle s'aggrave. On la cache avec de la nourriture ou des médicaments, et elle sert à étouffer tous les autres sentiments. Pour surmonter cette dépression, vous aurez besoin d'un soutien qui vous aidera à accepter la maladie de manière utile. Rappelez-vous: «L'issue est *au bout* du chemin.»

Pendant cette phase d'acceptation, vous resterez calme et même un peu renfermé. À ce stade, vous deviendrez par moments presque passif. Vous aurez envie de suivre des directives et de demander de l'aide. Cela ne vous gênera pas, car votre calme apparent rassurera et tranquillisera vos proches. Vous n'obtiendrez pas de réponses précises mais vous serez ouvert à toutes les nouvelles suggestions. Cette phase n'attire que peu de commentaires: vous n'aurez rien d'autre à faire que de vous installer confortablement pour profiter du voyage.

ACCEPTER L'ACCEPTATION

Dans votre journal, notez les sentiments qui ont été les vôtres au cours de l'année écoulée. Ils peuvent ressembler à ceux-ci:

- Je n'ai pas vraiment confiance en une guérison possible.
- Cela durera ma vie entière.
- Je me sens en quelque sorte détaché de tout cela.
- Je ne me soucie plus de savoir si on m'aime ou non.
- Lorsque je succombe, tous les autres se sentent malheureux.
- Je comprends à quel point mes sentiments étaient autrefois motivés par la nourriture.
- Je ne perdrai pas mon temps en thérapie si je continue à manger.
- Je comprends que la nourriture a agi comme un tranquillisant pour me permettre de faire face.
- Je me demande à quoi ressemblera ma vie, une fois délivré des excès alimentaires.
- Que ferais-je de tout mon temps libre?
- Je me sens calme et détaché.
- Quant à savoir si je me sortirai de cette maladie, c'est le mystère.
- Mon entourage est furieux: j'ai perdu ma bonne humeur d'autrefois.
- Je me sens calme et serein.
- Mes sentiments semblent anesthésiés et je me sens vide.
- J'ai besoin de tranquillité.
- De nouveaux éléments s'avèrent importants et commencent à compter dans ma vie.
- Ce qui était autrefois important m'apparaît banal désormais.

- Rien ne m'intéresse plus que de cheminer vers mon rétablissement.

- Mon abstinence est la chose qui m'importe le plus.

- Autres...

Lorsque vous commencerez à accepter le concept de maladie, votre esprit s'ouvrira à de nouvelles idées. Vous deviendrez réceptif comme un enfant. Vous reconnaîtrez, dans votre intimité, que ce sont vos *propres* efforts qui vous ont conduit là. Vous serez enfin prêt à accepter l'aide d'autrui. Vous demanderez de l'aide, comme un homme aux jambes brisées réclame des béquilles.

Dans cette maladie, le remède consiste à «se tourner vers les autres». Tel est le sens de l'acceptation. Vous aurez envie de prendre votre temps, de vivre «un jour à la fois», et vous ferez fi des fantasmes du passé. Vous serez alors sur le chemin d'un vrai rétablissement.

Au début de cette phase d'acceptation, vous vous sentirez peut-être dénué de sentiments ou renfermé sur vous-même. Donnez-vous du temps. Les codépendants auront besoin d'être guidés et réconfortés pour éviter de voler à votre secours.

Pendant un certain laps de temps, rien ne vous intéressera plus que votre progrès vers un rétablissement. En modifiant votre façon de manger, vous allez, en même temps, voir changer tous les autres aspects de votre vie. Votre attitude deviendra: «Mon abstinence est la chose la plus importante de ma vie, *sans exception.*»

Cette phase d'acceptation n'est pas acquise une fois pour toutes. Plus qu'une destination, c'est un processus de reddition qui vous fera modifier vos relations en vue de survivre.

Vous ne passerez pas par toutes les étapes dans un ordre précis; de même vous ne quitterez pas une étape pour ne plus jamais y revenir. En fait, il s'agit d'un processus continu et fluide; et l'analogie avec les diverses étapes parcourues sur le chemin de l'acceptation de la mort n'est pas fortuite : vous devrez laisser mourir un ancien style de vie pour donner naissance à votre nouvelle personnalité.

Ce processus est souvent lent mais son cours est précisément déterminé pour chacun d'entre nous. Ne vous inquiétez pas : vous disposez de toute votre vie pour en franchir toutes les étapes.

Souvent, à ce stade, vos proches deviennent agressifs. Témoins de l'important changement qui vous affecte, ils craignent d'être abandonnés au passage. Heureusement, vous vous préoccuperez peu de leurs sentiments et de la jalousie engendrée par votre réussite.

Pour un M.C., les nouvelles leçons qu'il apprend sur lui-même ressemblent énormément à ce que son codépendant lui chantait depuis des années. Lequel peut donc s'interroger : «Pourquoi les crois-tu, alors que, moi, tu ne m'écoutais pas?»

En tant que codépendant, vous allez voir votre partenaire chéri vous écouter enfin tout en s'éloignant de vous. En raison même de votre proximité, vous serez le moins bien placé pour l'aider. Chacun devra donc travailler séparément et chercher de l'aide en dehors du cercle familial. Vous aurez tout le temps de vous retrouver plus tard. Versez une larme sur cette brève séparation et sachez qu'un rapprochement, bien plus intense que ce que vous pouvez imaginer, vous attendra ultérieurement.

Au prochain chapitre, vous découvrirez comment le boulimique ou son codépendant peuvent trouver de l'aide auprès des Outremangeurs Anonymes ou des centres O-Anon. Dès qu'on accepte le besoin d'être aidé, on peut ainsi élargir son cercle familial et développer une individualité nouvelle pour se retrouver plus sain, plus fort et plus proche des autres.

6

L'EXTENSION
DU SYSTÈME FAMILIAL

À CE STADE, COMMENCER UN RÉGIME NE SERAIT ENCORE qu'une tentative vaine et vouée à l'échec. Souvenez-vous que l'expérience vous a montré jusqu'ici que les régimes ne fonctionnaient pas. À la place, vous devez trouver quelqu'un qui vous permettra d'établir un «dialogue pour guérir». Le processus de rétablissement implique une coupure avec la nourriture ou avec ceux que vous aimez, afin de vous «alimenter» à d'autres sources que celles de votre entourage immédiat.

Ce chapitre vous fera découvrir une méthode pour mettre un terme à l'engrenage des tentatives manquées et des contrôles infructueux. À la place vous apprendrez à vous accepter plus librement pour donner et recevoir de l'aide.

Vous échangerez vos liens familiaux, trop étouffants, pour une intimité plus «distante» qui, en définitive, s'avérera bénéfique.

LE MYTHE DU MACHO

Beaucoup d'entre nous vivent selon un mythe de totale indépendance, du genre je suis un «self-made man», je suis un homme «qui suit sa propre trace» ou «je sais garder la tête haute»... Chacune de ces vantardises est susceptible de coûter une dizaine de kilos! Plutôt que de chercher une aide mutuelle, une interdépendance ou l'appui d'amis, nous préférons manger, n'hésitant pas parfois à payer un psychologue 100 $ pour qu'il nous écoute une heure! Nous témoignons ainsi de cette dépendance tant redoutée. Les honoraires médicaux aident à effacer la honte et à la rendre plus acceptable.

Pourtant, il existe une autre méthode permettant d'obtenir «gratuitement» soutien et secours, et ce, à toute heure du jour ou de la nuit: en élargissant son cercle de famille et en cherchant de l'aide hors de chez soi.

C'est le soutien des Outremangeurs Anonymes (O.A.) pour les M.C., et des groupes O-Anon pour les codépendants, amis et parents. Dans les petites villes où il n'existe pas de réunions O-Anon, les codépendants pourront suivre les réunions des Al-Anon destinées aux familles ou amis des alcooliques, car les relations-types sont assez similaires. Le M.C. est dépendant au sucre solide, comme l'alcoolique est soumis à la dépendance du sucre liquide, et les réunions concernent moins la substance ingérée que la relation qui en découle.

Assistez à une réunion, faites-vous humble et sachez admettre votre besoin d'aide. Comprenez bien que vous avez déjà sollicité ce soutien des centaines de fois auparavant en consultant votre médecin ou en faisant confiance à des injections, des pilules ou des régimes amaigrissants. Mais aujourd'hui, il vous faut demander une autre forme d'aide.

Vous cherchez un moyen de réintégrer l'humanité; vous devez donc accepter votre besoin et votre état comme faisant partie de la condition humaine. Vous n'êtes ni un désaxé ni un monstre. Comme tout être humain, vous avez tenté de résoudre le difficile problème de trouver un soutien. Après avoir choisi la sécurité trompeuse de la nourriture, il vous faut apprendre à obtenir ailleurs cette aide.

Les membres des O.A. sont des êtres humains comme les autres, faillibles, et qui peuvent d'ailleurs, de temps à autre, vous «induire» en erreur. Mais, en vous appuyant sur un groupe et non plus sur une ou deux personnes, vous contrôlerez mieux vos désillusions.

NOUS SAVONS BIEN QUE C'EST TRÈS DIFFICILE!

Demander de l'aide n'est pas une tâche aisée. J'ai vu des personnes animées de la meilleure volonté, ouvertes et motivées, terrorisées à l'idée d'avouer leur vulnérabilité. Après tout, vous ne souffririez pas de troubles alimentaires si vous étiez parfaitement ouvert et sûr de vous...

Cette fois, il va vous falloir prendre ce risque sans le secours de votre soutien habituel. Le simple fait de se rendre à une de ces réunions est vécu comme un risque: c'est avouer que, seul, on n'y arrive pas et qu'on implore de l'aide. Que se passera-t-il si ces gens s'avèrent incapables de vous secourir rapidement? Et s'ils ne vous comprennent pas? Mais la plus grande peur reste toujours: «Ils vont m'interdire toute nourriture.» Vous êtes tellement persuadé d'en avoir toujours besoin!

Vous pouvez aussi craindre qu'on altère votre personnalité; pourtant, vous sentez bien que vous avez *personnellement* besoin de changer. Calmez-vous: vous n'abandonnerez rien de plus que ce que vous aurez décidé, et nul ne vous obligera à «jeter le bébé avec l'eau du bain». Vous vous initierez tranquillement à de nouvelles habitudes ou attitudes, et votre ancien style de vie s'estompera graduellement. Rien ne presse. Vous avez toute la vie devant vous.

EMPATHIE ET SYMPATHIE

En dépit de leur profonde compréhension, les Outremangeurs Anonymes n'agiront pas à votre place. Ils pourront vous montrer la voie et vous indiquer les pièges. Mais le travail vous incombera entièrement.

Jusqu'à présent, votre entourage s'est senti trop responsable pour vous laisser couler ou même nager par vous-même; que ce soit pour vous venir en aide ou vous punir, ces gens vous ont toujours convaincu que votre guérison dépendait d'eux.

Aux réunions des O.A., vous trouverez aide et conseils, mais surtout vous chercherez en groupe des solutions et non plus des excuses, avec des individus ayant lutté personnellement pour reprendre pied à l'issue d'une profonde déchéance. Ceux-ci savent donc, mieux que tout autre, que la tâche quoique difficile n'est nullement impossible.

Au sein de cette nouvelle «famille», vous trouverez du soutien, des encouragements, toutes sortes de petites tapes dans le dos, mais personne ne fera le travail pour vous. Comme disait Carl Jung: «Il n'y a pas de prise de conscience sans souffrance.» Vous tenez là la chance unique, au cours d'une vie, de renaître psychologiquement, grâce au groupe des O.A. qui constituera un puissant cercle de famille élargi. Comme au jour de votre naissance, même si votre mère a joué son rôle, il vous faudra lutter pour venir au monde.

Maintenant que voici venu le temps de votre nouvelle naissance psychologique, les membres du groupe vous communiqueront impulsion et réconfort. Mais le véritable effort sera toujours de votre ressort.

ALLER À UNE RÉUNION

Mes patients hospitalisés sont directement conduits à une réunion des Outremangeurs Anonymes. Il nous serait, bien sûr, plus facile de leur recommander d'y aller et de les laisser faire.

L'expérience m'a démontré que cette suggestion était rarement suivie d'action. Ils manifestent leur accord et leur volonté de s'y rendre, mais cela prend parfois des mois avant qu'ils n'en prennent le chemin.

Ne suivez pas ce mauvais exemple. N'étant pas hospitalisé, nul ne vous traînera à une réunion. Vous devez donc vous forcer à y aller. Ne restez pas assis chez vous à lire ces lignes en pensant que c'est une bonne idée. Vous n'en serez vraiment convaincu qu'en vous y rendant.

Où aller? Procurez-vous, par les renseignements téléphoniques, l'adresse des Outremangeurs Anonymes; ils pourront ensuite vous indiquer les réunions des O-Anon à l'intention des codépendants.

ALLEZ-Y!

Après quelques remarques préliminaires, Narva avoue:

— Hier soir, je me suis rendu compte que ma mère m'utilisait comme une «poubelle». Elle déverse sur moi tout ce qu'elle devrait en fait reprocher à mon père. Depuis l'âge de seize ans, elle me raconte son attirance et ses aventures avec les autres hommes, parce que, selon elle, papa est «trop renfermé». Je préférerais qu'elle s'adresse à *lui* plutôt qu'à moi. Moi, je reçois tout le venin et le fiel, alors qu'avec lui elle ne cesse de tricher et de jouer le joli cœur! Elle prétend se plaindre de la qualité de son union, mais elle ne fait rien pour y remédier.

«Pour faire baisser la tension qu'elle m'impose, je me gave de nourriture et je vomis. Je suis au bout du rouleau! Je vais lui dire que je ne veux plus être la confidente de ses sales histoires. Ce n'est pas mon affaire! Qu'elle s'adresse à papa ou qu'elle consulte son psychologue! Moi, j'ai ma vie à vivre!»

Personne ne répond.

Aux réunions des O.A., on ne «dialogue» pas: les membres utilisent le groupe comme un forum pour exprimer en public leurs pensées ou leurs sentiments. Ils prennent conscience que leur désordre alimentaire est une maladie de la solitude, et qu'en partageant leur intimité, ils peuvent cesser d'user de la nourriture comme d'une consolation. On n'y cherche pas tant un conseil qu'une simple valeur de témoignage: chacun a besoin de l'autre pour vivre son difficile voyage vers l'état adulte. La présence des autres est source de réconfort et, pendant le partage, chacun entend son écho personnel; tous s'expriment ainsi dans cette communion.

Aux réunions, les membres évoquent des faits qu'ils ne mentionneraient nulle part ailleurs. Chacun a pris l'engagement d'essayer de réfréner ses habitudes boulimiques. Cette abstinence engendre le besoin de laisser éclater ses sentiments.

Peu après, Annette prend la parole:

— C'est vraiment dur d'avouer à mon mari que j'en ai assez. Il me laisse tout organiser: le ménage, les enfants, toute la vie en général. Tout se passait bien quand j'étais boulimique: j'avais une excuse parfaite. Je me disais qu'ayant eu à m'occuper de tout un chacun, j'avais bien mérité ma récompense: manger...

«Maintenant que j'y ai renoncé, j'attends plus de la part de ceux que j'aime. Or, je découvre qu'ils ne sont pas là auprès de moi. Le seul endroit où j'ai l'impression de trouver un soutien, c'est quand je viens ici assister aux réunions.»

Depuis le fond de la salle, Arthur, un jeune homme très corpulent, prend la parole avec mauvaise humeur:

— Ma mère est une femme parfaite et je l'aime. Je ne voudrais pour rien au monde la voir assister à une de ces réunions. On lui remplirait la tête avec toutes ces idées de prise en charge personnelle. En ce moment, elle paye mes factures quand je suis sans argent. C'est elle qui ramasse mes chaussettes sales sous le lit, les lave et les range. Elle aime qu'il en soit ainsi. Et moi aussi. Je suis seulement venu perdre un peu de poids. Pourquoi changer une situation de famille qui fonctionne parfaitement ? Quelle importance de savoir qui s'occupe de quoi ?

Arthur n'attend pas de réponse. Il sait qu'il est entièrement libre de s'exprimer et d'exploser à volonté. Personne ne porte aucun jugement : les sentiments ne sont jamais «vrais» ni «faux». Ils sont ce qu'ils sont. Un point, c'est tout. En s'exprimant, Arthur est libre d'approfondir son point de vue, d'en changer ou, tout simplement, de ne rien faire. C'est l'environnement familial parfait où on vous écoute sans vous faire de leçon.

Les membres se soucient pourtant de ce qu'il advient aux autres. Partageant la même maladie, ils savent la difficulté et la nécessité de s'ouvrir pour survivre. Pas question donc de critiquer ou de juger ceux qui parlent en toute franchise : tous se servent mutuellement de témoin.

Si un patient souhaite un échange ou une discussion plus poussée, il peut, après la réunion, rencontrer certains autres membres ou se confier à son «parrain», la persone qu'il a choisie comme guide. Ils ont tous appris à «dialoguer pour se réhabiliter».

Tous les O.A., avant de venir à ces réunions, ont essayé de changer de nourriture plutôt que de vie. Et tous ces efforts les ont inexorablement conduits ici. Certains ont suivi des régimes... après avoir engraissé jusqu'à 90 ou 180 kilos. D'autres sont très minces ou «normaux» : ils mangent pour ensuite vomir ou abuser de laxatifs.

Lorsqu'ils viennent pour la première fois, la plupart des membres reconnaissent qu'ils mangeaient auparavant en toutes occasions. Qu'il y ait quelque chose à fêter ou, au contraire, à déplorer : ils trouvaient toujours une bonne excuse.

Puis, en assistant aux réunions, ils partagent une expérience souvent inexplicable. C'est vrai : ce qu'ils en retirent les éloigne de la tentation de la nourriture. Même s'ils sont incapables d'expliquer en quoi consiste cet apport, ils en constatent l'efficacité et y gagnent une satisfaction qui dure tout le temps de la disparition de leur obsession. Leur slogan devient: «Si ça marche, il ne faut toucher à rien.»

En quoi consiste ce processus curatif, et que pouvez-vous attendre de ces réunions?

Ces rencontres offrent un forum pour s'exprimer en donnant à chacun l'opportunité de s'ouvrir et de se montrer aux autres. Refuser de se mettre en avant et se dissimuler derrière la nourriture constitue le cœur du problème. Les réunions, au contraire, poussent chacun à s'exprimer et à redéfinir son entourage.

Les enfants ont besoin d'un témoin. Ainsi, le petit Johnny joue avec sa planche à roulettes en criant: «Papa! Regarde-moi, papa!» Mais l'homme, qui ne sait que faire ou que dire, se contente de répondre, comme le faisait son propre père: «Bravo! C'est très bien.»

Ce dialogue illustre parfaitement toutes les règles d'une relation parentale. Nous voyons le père manifester soutien, encouragement et fierté. Cependant, nous manquons un point crucial: *«qui le lui a demandé?»* Personne ne lui a demandé d'exprimer une quelconque appréciation ou estime. Le petit Johnny n'a sollicité qu'un simple témoin: «Papa! Regarde-moi, papa!» Rien d'autre.

Malheureusement, nous ne savons pas observer et écouter avec attention. Nous croyons avoir quelque chose à proposer et nous l'offrons pour nous valoriser. Mais qui nous l'a demandé? Aux réunions des O.A., les membres sont des témoins.

Voilà la nature du traitement: l'établissement d'une nouvelle relation. Les réunions fournissent ainsi le public nécessaire pour s'exprimer. Bienvenue!

LE DÉROULEMENT D'UNE RÉUNION

Ces réunions deviendront vite un endroit spécial pour vous. Vous vous y rendrez pour rencontrer les autres membres comme s'ils faisaient partie d'une famille au sens large. Il faut donc y aller avec l'intention de s'y créer un «chez soi», Ici, plus que nulle part ailleurs, vous pourrez être entièrement vous-même. Quoi que vous fassiez ou disiez, tout sera parfait. Mais surtout, n'essayez pas d'impressionner ou d'influencer les autres. Gardez cela pour le monde extérieur : ici on se contente de se soigner et de se dorloter. Profitez-en pour laisser surgir votre «**moi**».

Au début, je vous suggère de vous contenter d'observer, d'écouter et d'attendre d'avoir assisté à un minimum de trois réunions avant de poser vos premières questions.

Selon les préférences ou les habitudes particulières, la plupart des réunions durent entre une et deux heures, et se déroulent ordinairement selon un ordre établi par écrit qui aide l'animateur du jour à structurer le déroulement de la séance. La plupart des groupes n'ont pas d'animateurs réguliers, mais en changent chaque semaine.

Durant ces séances, il y a très peu d'*obligations* ou d'*interdits* : chacun doit être soi-même et adopter un comportement spontané. Il n'y a qu'une règle d'or suggérée la plupart du temps : «**Pas de dialogue**».

Chacun est encouragé à parler de *soi* et de son expérience *personnelle*, en s'abstenant de conseiller les autres sur ce qu'ils doivent ou ne doivent pas faire. En d'autres termes, on peut laisser libre cours à ses sentiments sans recevoir de leçons des autres. Ici, on ne parle que pour entendre son propre écho. On s'exprime pour s'exprimer. C'est tout et c'est suffisant. Souvent, en s'entendant parler, on comprend mieux la manière dont on se sent, et on en déduit instinctivement ce qu'on doit faire.

Vous pouvez arriver en retard, partir avant la fin et faire, d'une manière générale, tout ce qui vous convient. Les O.A. n'exerceront aucune pression sur vous. Leur meilleur conseil est : «Prenez ce qui vous est utile et laissez le reste.»

Ne vous posez pas trop de questions. Laissez passer le temps.

Différents types de réunions

Les réunions diffèrent selon les pays ou les régions, et rassemblent un auditoire divers aux attitudes variées. On rencontre dans le groupe les mêmes couches de population que partout ailleurs, mais une réunion peut changer de visage d'une semaine sur l'autre. Aussi je vous recommande d'assister à un minimum de trois séances et d'observer l'évolution. Examinez tout mais ne rejetez rien.

N'avez-vous pas déjà maintes fois donné une «seconde chance» à la nourriture? Rappelez-vous ce gâteau qui avait l'air un peu rassi. N'en avez-vous pas repris avant de décider qu'il n'était vraiment pas bon?

De même, sachez accorder une seconde chance à ce programme de rétablissement qui peut vous sauver la vie. Les codépendants ont l'habitude d'accorder plusieurs chances à leurs comportements organisateurs ou destructeurs. Vous vous êtes maintes fois acharné à reproduire de vieux schémas, persuadé que «cette fois» ça marcherait. Sachez développer le même type de credo en assistant aux réunions. Cela vous aidera à vous détacher du M.C. et vous soutiendra. C'est une manière de se retrouver.

Compte tenu des différences spécifiques, voici un bref catalogue des diverses réunions auxquelles vous pourrez assister.

• *La réunion d'exposés*

Les exposés varient selon les réunions mais, à une séance de ce genre, un membre fait un exposé d'une heure sur la manière dont il a reçu de l'aide. Attention, il ne s'agit pas d'un orateur professionnel, mais simplement d'un membre du groupe auquel on a conseillé d'expliquer ce que fut son parcours, comment il a réussi à s'en sortir et ce qu'il vit à présent. Dans certains cas, on prévoit la possibilité de poser des questions à la fin; mais la plupart du temps, dès que l'orateur a terminé, une autre personne prend la parole pour évoquer un autre cas.

- ## *La réunion à bâtons rompus*

Chacun prend volontairement la parole, mais personne n'y est obligé. Chaque interlocuteur s'exprime de trois à cinq minutes et peut aborder n'importe quel thème. Habituellement, les sujets couvrent les problèmes courants ou des informations nouvelles découvertes par chacun. Il n'y a ni dialogues ni commentaires.

- ## *La réunion-discussion*

Les membres, assis en cercle, discutent d'un sujet précis choisi par le groupe ou l'animateur, mais chacun reste libre de s'écarter du sujet à sa guise. Il s'agit d'une conversation détendue et ouverte où chacun peut prendre la parole aussi souvent qu'il le souhaite.

- ## *L'étude d'un livre*

Des extraits de livres, recommandés par les Outremangeurs Anonymes ou les Alcooliques Anonymes, sont lus en public à certaines réunions. Chaque membre est alors prié d'en lire un paragraphe et de commenter la manière dont le texte s'applique à son expérience. Là encore, chacun est libre de son interprétation. Parfois, la discussion devient collective.

- ## *L'atelier d'écriture*

Après s'être mis d'accord sur un sujet, chaque membre rédige un texte qui pourra ultérieurement être lu en public. Selon les réunions, cette rédaction est ensuite commentée ou pas.

- ## *La réunion de bienvenue*

Dans de nombreuses villes, spécialement dans les grands centres métropolitains, on organise des réunions spéciales pour exposer les caractéristiques du programme aux nouveaux participants. Un membre fait l'exposé des concepts de base concernant le traitement et s'offre ensuite à répondre aux questions et aux sollicitations des nouveaux venus. N'oubliez pas que ces réunions ne sont pas dirigées par des professionnels des troubles alimentaires, mais par des patients en cours de rétablissement qui peuvent témoigner de ce qui a été opérationnel *pour eux.*

Dites-vous bien également que l'ouvrage que vous tenez entre les mains n'explicite pas le détail du traitement offert par les O.A. En fait, nous ne pouvons que vous suggérer d'*assister* aux réunions et d'utiliser de manière complémentaire les exercices présentés dans ce livre. Ce n'est qu'en assistant aux réunions que vous apprendrez tout ce que vous désirez savoir.

- ### *Informations et renseignements*

En appelant un centre ou en venant assister à une première réunion, demandez à ce que l'on vous remette le répertoire des lieux de rencontre. Vous obtiendrez ainsi la liste des divers types de réunions, ainsi que les noms et numéros de téléphone des personnes à contacter pour obtenir plus d'information. **Appelez-les !** Vous n'avez rien d'autre à perdre que votre obsession alimentaire. Si vous n'aimez pas les réunions, on vous rendra à votre esclavage.

UN NOUVEAU CERCLE FAMILIAL

Quel que soit le type de réunion choisi, vous y viendrez à la rencontre d'individus qui constitueront votre nouvelle famille. Nombreux sont ceux qui, après une séance, se sont exclamés :

— J'ai enfin trouvé *un foyer* ! Personne, comme ici, ne m'avait compris auparavant. Je peux aborder n'importe quel sujet de mon choix, et il y a toujours quelqu'un pour ressentir la même chose que moi.

— Quels que soient mes propos, on m'accepte et je m'en trouve valorisé.

— J'adore le fait que personne ne me dise ce que je dois faire.

— J'ai cessé d'être un monstre isolé de tous.

La réunion constitue la composante primordiale du programme de soins offert par les O.A. C'est elle qui remédie à la solitude et à l'isolement. Les M.C. et les codépendants sont des gens démunis dont l'ego est délimité par des frontières fluctuantes. Chacun d'eux a besoin de soutien et d'encouragement, mais dépendre d'une seule autre personne n'offre pas une aide suffisante. Ils ont besoin du groupe pour donner de l'ampleur à leur besoin.

Vous aussi, vous apprendrez à survivre à la solitude sans nourriture. Si votre entourage est indisponible ou occupé ailleurs, vous trouverez toujours quelqu'un de disponible. Vous n'aurez plus à supporter la solitude. Or, la solitude conduit tout droit au frigo. Au contraire, vous découvrirez que les gens sont plus drôles que les aliments. C'est en fréquentant ses semblables que l'on échappe à la dépendance!

Le choix sera clair et d'autant moins pénible. Plus les gens se rapprocheront de vous, plus la nourriture vous paraîtra fade. Je vous l'affirme: nous allons définitivement gâcher votre rapport à la nourriture, et vous ne pourrez plus jamais manger comme avant.

Désolée!

LA SCIENCE NOUS REJOINT

La recherche en matière de traitement des troubles alimentaires est en train de rattraper rapidement les méthodes mises au point par les Outremangeurs Anonymes depuis plus d'un quart de siècle.

En octobre 1983, les projets de recherche exposés à New York, lors du 4e Congrès international de l'obésité, ont démontré l'efficacité des deux éléments fondamentaux du programme des

O.A.: le traitement en groupe, plus efficace que les soins individuels, et le conseil par parrainage, c'est-à-dire par un patient ayant souffert de troubles identiques.

Tous les programmes expérimentaux ont démontré l'obtention de meilleurs résultats **en groupe** qu'individuellement. Même lorsqu'un prétendu «programme de soins» n'offrait au malade qu'un placebo, ceux qui prenaient ce simulacre de médicament en groupe obtenaient de meilleurs résultats que des patients traités individuellement. De même, une autre étude conduite par l'Université Vanderbilt a démontré que si un groupe de patients déjà avancés dans la voie de la guérison prenait en charge des malades novices et les conseillait, on obtenait une quasi-disparition des abandons et 85 % d'amélioration des pertes de poids.

Au fur et à mesure des progrès de la recherche médicale, nous continuerons à découvrir d'autres raisons expliquant le bien-fondé des méthodes des O.A. Mais, pour l'instant, vous pouvez nous faire confiance: ce qui a marché pour les autres fonctionnera aussi pour vous.

L'ÉTABLISSEMENT D'UNE NOUVELLE PARENTÉ

C'est avec la plus grande honnêteté que mangeur compulsif et codépendant ont épousé le comportement ou les sentiments qui sont devenus les leurs.

Vous avez fait de votre mieux en fonction des problèmes et de votre compétence. Il vous a simplement manqué la chance de rester un enfant. Vous avez grandi trop vite afin de materner vos propres parents. Maintenant, il vous faut rebâtir une relation familiale: vous avez besoin de parents qui vous comprennent, vous respectent et n'exigent rien de vous.

Le M.C. et le codépendant ont tous deux besoin d'un cadre pour redevenir cet enfant. Dans votre nouvelle famille des O.A. ou des O-Anon, personne n'attendra rien de vous. Il vous appartiendra entièrement de donner ce que vous souhaitez. Vous ne devrez rien à personne. En fait, pendant toute une période, vous n'aurez qu'à être un récepteur, **un bébé**. Souvent, aux réunions, les nouveaux venus sont qualifiés de bébés, et les anciens membres célèbrent l'«anniversaire» de leur entrée aux O.A. comme celui d'une nouvelle naissance.

On vous demande d'être comme un enfant nouveau-né. Ne vous hâtez pas de vouloir apprendre, grandir ou réussir. Au contraire, installez-vous avec calme dans votre voyage de rétablissement. Ne vous pressez pas : vous avez la vie entière devant vous pour vous rétablir.

Parmi les O.A., vous rencontrerez une nouvelle figure parentale que vous nommerez votre «parrain». Il s'agit d'un membre que vous choisirez en arrivant. Quelqu'un de qui vous pensez apprendre quelque chose.

Votre premier pas sera de choisir ce parrain. On ne vous imposera personne. Nul ne cherche à vous contraindre en aucune manière. On attendra jusqu'à ce que vous demandiez de l'aide. Bien sûr, vous savez que c'est extrêmement difficile. Eux aussi le savent. Ouvrez donc les yeux et les oreilles et trouvez-vous en réunion quelqu'un qui saura vous guider et auquel vous pourrez vous confier. Les anciens conseillent de se choisir «quelqu'un qui possède ce qu'on cherche». Si vous admirez la manière dont un membre a su diriger sa vie, demandez-lui de vous guider à en faire autant.

Autant de patients que d'objectifs : certains cherchent un interlocuteur ayant été aussi gros qu'eux. Ainsi, l'un d'eux me confiait : «Je ne veux avoir affaire qu'avec quelqu'un ayant perdu au moins 50 kilos.» D'autres choisissent en fonction de critères nutritionnels proches des leurs, tels ceux qui vomissent ou dévorent pendant les week-ends.

Mais les raisons du choix d'un parrain importent moins que le fait de se donner un guide pour entamer le voyage. C'est là que réside le remède. En adoptant un guide, on s'investit dans son processus de guérison en réalisant un premier pas pour demander de l'aide. C'est aussi le plus dur.

On peut changer de parrain à volonté, et on peut les multiplier tout au long de son rétablissement. Les patients évoluent, grandissent et se tournent vers de nouveaux horizons. Comme dit la sagesse indienne : «Dès que le disciple est prêt, le maître apparaît.» Ne vous inquiétez pas quant au choix du parrain, vous trouverez toujours la personne dont vous avez besoin, celle qui correspond à vos aptitudes du moment.

CONFIANCE MUTUELLE ET INTERDÉPENDANCE

Cette relation entre le bébé et son parrain constitue l'élément primordial du rétablissement. Après être passé par la phase de l'«originalité terminale» qui faisait échouer tout traitement, vous établirez une relation nouvelle, fondée tant sur une demande d'aide que sur un investissement personnel dans le processus de guérison.

Il est clair qu'autrefois personne ne résolvait vos problèmes ni même ne s'attendait à ce que vous en trouviez la solution.

Avec votre parrain, vous n'aurez pas les liens viciés qui vous unissaient à un entourage trop proche pour vous aider efficacement. Vous vous ménagerez suffisamment de distance pour conserver votre sécurité, tout en découvrant une nouvelle forme de rapprochement fondée sur une compréhension mutuelle. Vous deviendrez tous deux des «rescapés» et, comme deux vieux soldats, vous échangerez des souvenirs du front. Nul autre ne sera mieux à même de comprendre l'enfer que vous vivez pour réussir à transférer votre dépendance de la nourriture sur un nouveau type de relation. Nulle part ailleurs, on ne sera aussi généreux en échange de si peu.

Toute sa vie, Nadia a vécu un rêve qui illustre bien le besoin d'affection des M.C. Son souhait n'ayant jamais pu se réaliser, elle a choisi de manger.

Plusieurs fois par an, ce rêve revenait de manière récurrente et Nadia s'éveillait en pleurs : dans son songe, elle se voyait sous la forme d'une amibe, un de ces organismes monocellulaires qui ressemble à une masse liquide et ondulante d'un mètre de diamètre. Sur tout son pourtour poussaient de minuscules cils, tandis que le fluide intérieur, d'un vert profond et transparent, chatoyait comme une lotion de beauté. La gigantesque cellule glissait souplement, ajustant sa forme au gré du monde.

C'est ainsi que Nadia se voyait. Elle m'avait raconté son rêve exactement comme si elle *était* une amibe :

Je me sens terriblement lourde et lente. Grotesque. Pour bouger, il me faut rouler d'un côté sur l'autre comme une masse apathique, car où m'entraîne mon poids, tout le reste suit. Je glisse ainsi en roulant dans un salon encombré de gens qui restent tous pantois avant de s'écarter de mon chemin. Et, derrière moi, j'entends un concert de murmures étouffés des "eeeeeeeeooooo", des "beurk", des "c'est affreux" ! Mais je continue à avancer. Je suis navrée. Ils sont tous forcés de me contempler, et je sais que ma vue est révoltante.

Dans une aspiration, je me coule et me hisse sur un fauteuil. C'est un effort considérable qui me laisse exténuée et je me fonds dans ce siège, non sans que des lambeaux de mon corps ne retombent partout alentour. Mais bientôt je pousse un énorme soupir et je m'installe pour me reposer. Peu à peu, l'assistance cesse de m'examiner et recommence à vaquer à ses affaires. Lorsque, soudain, une jeune femme jaillit de cette haie brouillée de visages et de silhouettes floues pour venir s'asseoir à côté de moi.

Je suis immobile et j'ai peur. Je retiens ma respiration.

Comme sous un état de choc, je reste figée, réprimant tout mouvement de vague. Je voudrais disparaître, mais je sais que le moindre mouvement ne ferait qu'attirer l'attention sur moi. Je reste donc pétrifiée, priant que nul ne me regarde.

Mais bientôt je me rends compte que la jeune femme s'est penchée sur moi et commence à caresser les soies qui poussent sur mon dos. Elle me palpe doucement, longuement, sans se rendre compte à quel point mon corps est gluant. Et j'en suis bouleversée ! Mais, au-delà de toute répulsion, elle persévère. Peu à peu je m'apaise, pensant qu'elle n'a sans doute pas réalisé quel était l'objet de ses caresses. Puis l'expérience s'empare de moi, me ravit et je commence à roucouler de bonheur. Personne auparavant ne m'avait jamais traitée ainsi : on dirait qu'elle me caresse par amour. Stupéfiant, me dis-je ! Que peut-elle en retirer ? Ne devrais-je pas agir pour la payer de retour ? Que faire ?

Elle continue de m'étreindre. Et moi de roucouler. Puis, soudain, je m'éveille.

Nombreux sont ceux qui, à l'issue d'une première réunion des O.A., rapportent une expérience identique, après avoir trouvé le même genre d'acceptation, d'affection et de soutien. On n'exige rien d'eux. Dès qu'ils ont passé le seuil, ils se trouvent acceptés : « Asseyez-vous et mettez-vous à l'aise », leur dit-on.

Le rêve de Nadia représente sa quête d'un amour inconditionnel. Même physiquement répugnante, elle brûle d'être acceptée sans avoir à faire d'effort : « Aimez-moi, aimez ma graisse. »

Chez les Outremangeurs Anonymes, le M.C. trouvera cet accueil quoi qu'il offre en retour.

Le message du parrain est clair : « C'est déjà assez difficile de mettre un terme à ses excès alimentaires. Inutile de prendre ici une attitude affectée ou de jouer la comédie. Les O.A. sont un foyer où vous êtes libres de vous effondrer. Prenez un siège. Reposez-vous. Ici, vous *pouvez* rester passifs. »

Ce qui se passe entre vous et votre parrain varie pour chacun. Mais soyez persuadé que les meilleures directives vous seront données cordialement en tenant compte de votre intérêt. Le parrain vous dira : « Si vous désirez ce que je possède, vous devez agir comme moi», et il vous recommandera ce qui a marché pour lui. Mais il ne s'agit que de suggestions, pas d'ordres. N'hésitez pas à discuter avec lui. C'est la meilleure façon d'établir une relation saine. Vous devez lui faire part de votre résistance : un suivi aveugle n'aboutit à rien. À la moindre déconvenue, vous vous déroberez. Attention : le rejet total des suggestions du parrain conduit aussi à une perte de temps. Il vous faudra trouver un moyen terme pour lui faire confiance autant qu'à vous-même.

N'étouffez pas vos critiques pour vous contenter de sourire béatement en prétendant que vous trouvez ces réunions merveilleuses. J'ai vu de nombreux patients clamer très haut la qualité des réunions et leur joie d'y assister. Puis, brusquement, ils cessaient de venir. Que s'était-il passé ? Ils n'avaient pas su exprimer leurs critiques. Vous en connaîtrez obligatoirement. N'êtes-vous pas en train d'affronter une grave crise pour dénier ainsi toute votre vie antérieure et tenter de la rebâtir différemment ? Tous les liens vous unissant au monde sont en cours d'altération. Vous ne pouvez que rechigner.

Alors faites-le à voix haute !

Ayez confiance en vos réactions. Elles vous feront savoir où vous en êtes. Vous trouverez ci-dessous une énumération de quelques pensées ou sentiments exprimés par certains, qui vous montreront la vaste gamme de ces réactions, leur variété et leur aspect contradictoire. Comparez-les avec vos propres idées. Vos réactions peuvent changer du tout au tout entre la première et la quatrième réunion, c'est pourquoi vous entendrez toujours, à la fin de chaque séance, la phrase rituelle : «**Continuez à venir.**»

À la première réunion, de nombreux patients manifestent une réaction hybride d'attirance et de rejet. Ils souhaitent ce que les autres possèdent, tout en ayant une peur mortelle de l'obtenir. En un sens, vous apprécierez avoir découvert un nouveau lieu où vous sentir accepté et compris. En même temps, vous le dénigrerez et tâcherez d'en trouver les défauts. C'est une réaction naturelle face à la menace du changement. Laissez-vous aller librement.

Voici quelques réactions de patients après les premières séances. Ces réactions sont-elles semblables aux vôtres? Notez-les dans votre journal personnel.

QU'AVEZ-VOUS APPRIS DE LA RÉUNION?

- «Une journée à la fois».
- C'est trop compliqué à mon goût.
- Je me sens hostile.
- J'ai l'impression de pouvoir m'ouvrir avec ces gens.
- Certains connaissent un sort pire que le mien.
- Je ne suis plus seul.
- Je partage les sentiments de ceux qui parlent.
- Je ne peux vraiment plus me contrôler.
- Je comprends la difficulté de la tâche.
- Cela ne concerne pas la nourriture, pourtant elle est au cœur du sujet.
- Je comprends que cette maladie vient de ma relation au monde.
- Ces gens ne sont qu'une bande de morveux.
- Je les trouve faux. Je n'aime pas leurs comportements.
- Je suis si timide.
- Depuis que j'ai appris qu'il s'agit d'une maladie, je me sens impuissant.
- Ne plus manger n'importe quoi. Ça aussi passera.
- Mon sort me désole profondément.
- Je n'aime pas le sérieux qui règne ici.
- Je ne suis pas à mon aise. Je ne me suis jamais senti aussi mal qu'eux.

- Je m'en veux d'y être allé.
- Je me félicite de m'être accroché à ces réunions.
- Je sens tous ces gens devenir très proches de moi.
- Je suis en rage. J'ai envie de leur taper dessus.
- Je n'ai pas envie de faire tant d'efforts à ce sujet.
- J'ai trouvé un des participants plutôt séduisant.
- Les gens s'expriment avec la plus grande franchise.
- Même s'ils viennent à la réunion, certains ne sont que des crétins.
- J'avais peur de prendre la parole, mais après je me suis senti réconforté.
- Je me sens plus spectateur qu'acteur.
- Je comprends que, moi aussi, j'ai quelque chose à donner et non pas seulement à recevoir.
- Le rétablissement est possible.
- Je sais bien que j'ai pesé plus de 100 kilos. J'ai des photos pour me le prouver. Mais lorsque je rencontre d'autres M.C., j'ai envie de le nier.
- J'ai peur.
- Je ressens la force des autres en cours de rétablissement.
- Je vois comment j'essaie de repousser l'aide.
- J'ai choisi un nouveau parrain aujourd'hui et j'en suis ravi.
- Je suis venu à la réunion plein de hargne, mais à présent j'en sors calme et apaisé.
- Je comprends que je ferais mieux d'aider les autres que de me soucier de moi.
- J'avais peur de prendre la parole devant tous ces hommes.
- Je déteste leur façon de se voir comme des personnes charitables.
- Je dois apprendre à me soucier de mes propres problèmes.

- C'est un traitement. Rien n'est plus important.
- Pendant toute la réunion, je n'ai fait que penser aux repas du lendemain.
- Je comprends qu'il s'agit d'une maladie familiale.
- J'ai aimé le petit groupe. Il m'a forcé à me remettre en question.
- Nous ne nous connaissons pas, et pourtant je sais qu'on se comprend.
- Je ne supporte pas cette ambiance surchauffée.
- Je comprends que le mariage n'est nullement un «remède».
- J'ai aimé les blagues.
- Je vois que je n'ai pas à jouer au personnage sympathique.
- Que je mange ou pas, je comprends que le problème sera toujours là.
- Je n'aime pas tous ces slogans et ces phrases toutes faites.
- Un homme m'a dit: «Vous avez l'air radieuse» et cela m'a terrifiée.
- Je dois cesser de le regarder et de *me* regarder.

LA CAPITALISATION DES CRITIQUES

Les principales critiques faites aux réunions portent sur trois domaines principaux: *les guérisseurs malades, la désorganisation* et *la religiosité*, que nous allons examiner successivement.

• Les guérisseurs malades

Les patients se soucient souvent du fait que ceux qui sont appelés à les soigner en réunion sont «aussi malades» qu'eux. C'est exact. Mais c'est aussi pour cela que le programme est efficace. Les patients apprennent à reconnaître leurs forces et leurs faiblesses en observant d'autres individus souffrant d'une affection similaire.

Il s'agit d'un concept fondamental de la psychothérapie de groupe: on apprend en observant les autres. Un patient s'avère plus perspicace pour remarquer les mécanismes de refus ou d'auto-illusion d'un autre dépendant.

Une de mes amies soignait ainsi un boulimique auquel elle demandait chaque semaine: «Et avec la nourriture, ça va?», et le patient, soumis, répondait en souriant: «Ça se passe bien.» Cela dura des mois et le malade finit par prendre 30 kilos! Un autre dépendant est plus attentif au mécanisme de refus. Il sait quelles questions poser pour déjouer les réponses trop optimistes. Il est capable d'examiner en détail le régime alimentaire quotidien. Il sait faire sauter les œillères que l'on se donne lorsqu'on refuse de voir les choses en face. Cela paraît attrayant; en fait, c'est terrifiant.

Dans le même ordre d'idées, les nouveaux venus critiquent parfois le fait que les membres du groupe O.A. sont «trop malades» pour pouvoir les aider. Ils disent: «Je ne suis pas si atteint. Je n'ai jamais été aussi obèse ni obsédé à ce point. Ces gens sont vraiment des déchets. Très peu pour moi.»

Ce genre de propos est fréquent en début de parcours.

Les nouveaux venus n'ont qu'une expérience minimale de l'obsession. Ils se refusent à croire que, pour se réhabiliter, ils devront faire preuve d'honnêteté et révéler des aspects d'eux-mêmes qui les répugnent. Cela s'applique particulièrement aux boulimiques vomisseurs qui s'acharnent, quoi qu'il leur en coûte, à faire bonne figure. En conséquence, ils se montrent très critiques vis-à-vis de ceux qui avouent leurs faiblesses. Pour éviter d'avoir à s'exposer, ils développent une série d'arguments que nous appelons les «**pas encore**»: «Je n'ai *pas encore* agi ainsi», «Je ne suis *pas encore* si atteint» ou «Ça ne m'est *encore* jamais arrivé».

Ces «pas encore» les aident à conserver une attitude critique envers les autres; il leur faudra endurer beaucoup de souffrance avant de pouvoir accepter de l'aide.

Si vous vous apercevez que vous vous retranchez derrière ces «pas encore», demandez-vous à quoi sert de gravir tout le calvaire pour finalement décider de faire marche arrière? Pourquoi ne pas demander de l'aide immédiatement au lieu de continuer à souffrir? Pensez à tous ceux qui, avant vous, ont servi d'«éclaireurs», ont vécu ces douleurs et vous mettent en garde. Vous avez la possibilité de vous épargner des souffrances inutiles en acceptant de participer maintenant. Ces «pas encore» ne servent qu'à différer le moment d'agir. Pourquoi ne pas saisir tout de suite votre chance?

- ### *La désorganisation*

Les critiques fondées sur les problèmes structurels des Outremangeurs Anonymes sont diamétralement opposées. Soit le groupe est considéré comme «trop régimenté, excessivement rigide et exigeant, sans aucune souplesse ni compréhension», soit il est décrit comme «trop tête en l'air, sans horaire précis, où chacun ne s'occupe que de soi en dehors de toute direction ou structure précise».

Tout cela est vrai. En tant que M.C. ou codépendant, les notions de contrôle, d'agression ou de passivité vous sont conflictuelles. Vous êtes passé maître dans l'art de découvrir des failles dans le contrôle ou l'organisation des groupes. Les membres des O.A., qui ont tant de mal à se plier à une discipline ou à être fidèles à leurs engagements, retrouvent très naturellement le même comportement dans la tenue de leurs réunions.

Cela ne doit pas vous induire à déserter la réunion. Au contraire, apprendre à vivre avec «trop» ou «trop peu» d'organisation vous fournira un bon terrain d'entraînement.

Certains patients se plaignent: ils voudraient recevoir des ordres. D'autres disent que le groupe est trop directif.

Chez les O.A., vous apprendrez à suivre des directions données par des êtres humains susceptibles de se tromper. Pour le nouveau venu, le problème est de savoir s'il peut cesser de contrôler pour devenir celui qui suit des indications. Acceptez-vous de croire que c'est ce dont vous avez besoin pour l'instant?

N'oubliez pas: «Quand le disciple est prêt, le maître apparaît.»

• *La religiosité*

Au nombre des critiques qu'il m'a été donné d'entendre en dix-sept ans de traitement des personnalités dépendantes, il en est une qui se détache nettement du lot. Qu'il s'agisse de toxicomanes, de boulimiques ou de collègues, le reproche le plus fréquent est: «Vous parlez trop de Dieu. Je ne suis pas croyant.»

En réalité, les O.A. suivent un programme spirituel et non religieux.

Savez-vous qu'en réalité vous êtes quelqu'un de très croyant. Jusqu'à présent, vous avez idolâtré une «substance extérieure» dont vous pensiez qu'elle pouvait soulager vos maux et résoudre vos problèmes. La nourriture était votre dieu. Au cours de votre guérison, vous chercherez à croire en quelque chose de moins destructeur. Vous n'êtes pas obligé d'adopter le concept de Dieu. Vous pouvez, si vous le préférez, chercher et écouter votre propre «petite voix intérieure». C'est là votre dieu personnel que vous avez jusqu'ici ignoré.

Quand on se maintient constamment dans un état d'abrutissement et de dégoût de soi grâce à la nourriture, on est mal placé pour prêter attention aux messages particuliers qui viennent de l'intérieur. Voilà pourquoi je dis qu'on est aussi gros qu'on est malhonnête. Plus on refuse de suivre les indications émises par la voix de sa conscience, plus on est contraint d'idolâtrer la nourriture. En fréquentant ces réunions, vous renoncerez à votre obsession de la nourriture. Vous trouverez le moyen de vivre en communication plus étroite avec votre voix intérieure.

Appelez ça «Dieu» ou «bifteck haché». Donnez-lui un joli nom ou une appellation répugnante, pourvu que ça marche.

- ### *L'engagement*

Les O.A. proposent de nombreux plans alimentaires, mais je crois qu'aucun n'est à privilégier particulièrement. Ce qui importe, c'est l'engagement pris concernant ses habitudes alimentaires.

Le calendrier consiste d'abord à modifier ses relations, le changement alimentaire interviendra ensuite. Cela marche bien lorsque le nouveau venu décide chaque matin, et couche par écrit, ce qu'il consommera dans la journée. Le plan alimentaire peut ainsi varier en fonction du climat, des événements du jour ou des préférences de chacun. Comme on dit: «À chaque jour suffit sa peine.» Le bébé nouveau venu appelle alors son parrain pour lui soumettre son programme. Ce parrain n'est pas un diététicien, mais un camarade d'infortune qui a réussi. Il peut donc, selon le cas, apporter des commentaires; mais son rôle principal consiste à servir de témoin de l'engagement pris. Pourtant, ce n'est ni un juge ni un geôlier: il n'est que le confident qui écoute la promesse que vous vous faites à vous-même.

En effet, alors qu'on peut aisément se parjurer, beaucoup hésitent à se montrer infidèles devant les autres. Avec cet engagement, vous incluez quelqu'un d'autre dans votre processus mental et dans votre obsession alimentaire.

Parmi tous les conseils proposés aux débutants, cette idée de partager un engagement alimentaire avec un étranger s'avère souvent comme une incontournable pierre d'achoppement. Une majorité de patients détestent cette idée de justifier leur nourriture; ils parlent de comportement puéril ou punitif, de perte de temps, de soumission à quelqu'un d'autre, et trouvent cette attitude stupide, superflue et malencontreuse.

Elle est effectivement délicate, puisqu'elle implique une surveillance et une discipline s'exerçant sur la relation à la nourriture. Elle entraîne l'intrusion d'un étranger dans une relation particulièrement intime. «Comment osent-ils surveiller mon assiette? Je ne suis plus un enfant!» Hélas! quand il s'agit de nourriture, vous êtes encore un enfant.

Souvenez-vous que le parrain constitue une nouvelle figure parentale qui n'a pas pour rôle de punir mais de guider.

LE LENDEMAIN

Quelques spectateurs venus assister à une première réunion tombent parfois follement amoureux des O.A. et décident que la nourriture ne sera plus jamais le problème de leur vie. À fréquenter d'autres mangeurs compulsifs, ils en retirent une telle joie qu'ils se sentent miraculeusement guéris et délivrés de leur obsession. Ils y sont enfin parvenus!

En réalité, ce n'est pas aussi simple.

Dans le langage de la thérapie, nous parlons d'«**envol vers la santé**». Le patient est si effrayé par l'importance de l'effort qu'il fait mine de s'exclamer: «Tout va bien. Mon problème est résolu.» En fait, il pense: «Merci beaucoup, docteur. C'était super. Je reviendrai un autre jour», et aussitôt après: «Ouf! il faut que je me sorte de ce piège!»

Ceux-là continuent encore à croire aux remèdes miracles. Les membres des O.A. parlent de la phase de la lune de miel: vous cherchez à vous persuader que vous avez trouvé le bon chemin. De fait, c'est vrai. Mais la route sera encore longue.

Un rejet immédiat des O.A. est plus fréquent que cet envol vers la santé.

Pour d'excellentes raisons, vous découvrirez peut-être que ce n'est pas l'endroit qui vous convient; vous refuserez les réunions par boutade, comme Bernard Shaw qui disait: «Je n'ai pas envie d'appartenir à un club qui m'accepterait comme membre.»

Préférant un club plus fermé, vous jugerez peut-être les critères d'entrée trop faciles. À moins que vous ne préfériez un endroit plus familier.

Lorsqu'ils refusent les réunions, les M.C. et les codépendants ont tendance à développer le même type d'excuses. Après avoir initialement proclamé que c'était une idée merveilleuse, ils décident que cela ne leur convient plus. Quelle que soit l'excuse, ils ont peur, en fait, d'exposer leur vulnérabilité et de chercher du secours auprès d'autres êtres humains susceptibles de se tromper. Ils cherchent à tout prix à se protéger du fait d'être à la fois humains et vulnérables.

LES MENACES DU PASSÉ ET LA PROMESSE D'UN NOUVEL ÉQUILIBRE

Tout système engendre un fort désir de *statu quo*. Il est plus facile de rester stable que de changer, même si l'évolution est promesse d'amélioration. Cela est vrai aussi pour les obèses. Le corps ralentit son métabolisme pour s'accrocher à sa graisse bien que le cerveau ait décidé de suivre un régime pour maigrir.

Un *statu quo* identique maintient l'ordre familial. Même si le passé ne sert qu'à maintenir le M.C. en esclavage face à la nourriture, et le codépendant dans son obsession du M.C., ils préféreront garder leurs habitudes plutôt que d'essayer d'en changer. Beaucoup d'entre eux pensent: «C'est un problème intime et familial que nous réglerons seuls.»

Souvenez-vous que tous vos efforts vous ont conduit à votre état actuel. Persuadez-vous qu'une nouvelle méthode entraînera le rejet du passé et la constatation de son inefficacité. Il vous faut commencer un processus de séparation même si la nouveauté vous effraie.

UN SOUTIEN POUR GUÉRIR

En assistant aux réunions, le M.C. et le codépendant apprennent à se détacher l'un de l'autre et à s'occuper de leurs problèmes personnels. Vous aurez chacun votre parrain pour vous apporter aide et soutien, et vous laisserez vos proches résoudre leurs propres cas. Vous aurez l'impression d'avoir plus de mérite en culpabilisant moins.

Vous réaliserez qu'en vous souciant de vous et de votre propre assiette, la famille vivra de manière plus indépendante, pour se retrouver plus soudée et plus assurée que jamais.

LES POINTS DE RÉSISTANCE

Parmi les phrases suivantes, notez dans votre journal personnel celles que vous avez souvent pensées ou dites.

- Je peux y arriver moi-même.
- Je suis infaillible.
- Je n'ai aucun lien avec ces gens.
- Ils sont trop minces.
- Je ne veux pas être trop maigre.
- Ils sont dépressifs.
- Ces gens sont bien plus «malades» que moi.
- Ils parlent un langage embarrassant.
- Ils sont trop religieux.
- Ce sont des fous.
- Je ne suis pas encore si mal en point.
- Je n'apprécie pas le programme alimentaire.
- Ils n'ont aucun programme alimentaire.
- C'est trop flou et trop désorganisé.
- Je n'aime pas qu'on me dise ce que j'ai à faire.

- Il n'y a pas de récompenses.
- J'habite trop loin pour venir assister aux réunions.
- Les réunions sont assommantes.
- Je ne peux pas téléphoner aux gens.
- Ces gens sont trop exigeants.
- Je voudrais plus de discussion et de dialogue dans le groupe.
- Ces réunions me prennent trop de temps.
- J'y suis allé une fois et cela m'a suffi.
- C'est trop simpliste.
- J'ai déjà été confronté à tous ces problèmes.
- Les réunions engendrent des problèmes dans mon foyer.
- Mon conjoint s'y oppose.
- Je n'ai pas besoin d'entendre les problèmes des autres.
- Ils sont trop peureux pour affronter leurs problèmes.
- Ces gens sont bien plus mous, idiots, intelligents, bruyants, calmes, etc., que moi.
- On ne propose pas assez de solutions immédiates.
- Il y a trop de digressions.
- Ils s'amusent trop. Allons! Un peu de sérieux!
- Je ne veux vraiment pas croire qu'il y ait un espoir.
- Ils cherchent à m'enlever ma nourriture.
- Les horaires ne me conviennent pas.
- Ils ne donnent pas assez de directives précises sur ce qu'il convient de faire.

7

NON À LA NOURRITURE, OUI À LA VIE

EN RENONÇANT AU SECOURS DES ALIMENTS ET AU PIÈGE des relations dévorantes, vous retrouverez, tant en vous-même que dans votre vie, une souplesse et un plaisir renouvelés. En assistant et en participant aux réunions, vous découvrirez votre véritable moi enfoui sous la nourriture. Vos relations deviendront plus franches. Désormais vous devrez vivre honnêtement sous peine de retomber dans l'obsession de la nourriture. Et les codépendants – qu'ils aident ou non quelqu'un – apprendront à se respecter.

LE CORPS NE MENT PAS

Quand vous aurez cessé de vous empiffrer ou de jeûner maladivement, votre corps vous indiquera clairement le chemin à suivre et la conduite à tenir. Les doutes disparaîtront d'eux-mêmes dès que vous écouterez cette voix intérieure vous dire ce qu'il y a lieu de faire. Votre corps ne vous mentira pas : vous aurez désormais la capacité de juger intuitivement les situations.

Vous découvrirez que ces changements affecteront profondément vos relations, même les plus intimes. Nombreux sont ceux qui avaient des relations sexuelles uniquement parce qu'il le fallait et refusaient d'admettre que «l'esprit le voulait, mais que le corps ne suivait pas». Dans la mesure où l'acte physique dépend de la motivation, les hommes peuvent constater précisément leur passion ou leur manque d'intérêt. Les femmes, elles, développent une plus grande aptitude à masquer leur ambiguïté.

Imaginons que votre prince charmant vous ait invitée à dîner dans un magnifique restaurant romantique où vous avez toujours souhaité aller. Il est «super». Vous vous sentez proche, chaude, affectueuse et «prête». Une fois à la maison, il comprend le message et se trouve, lui aussi, en bonne disposition. Alors que les vêtements tombent, que le lit s'approche et que vous commencez les caresses, votre esprit vagabonde. Soudain, vous repensez par hasard à une difficulté survenue au bureau. Vous arrêtez-vous? Faites-vous une pause en murmurant: «Chéri, j'ai la tête ailleurs. Je suis préoccupée par un problème. Pouvons-nous attendre un moment?» Combien parmi vous vivraient leur sexualité avec une telle franchise?

Le plus souvent, chacun choisit de continuer afin d'épargner les sentiments de l'autre. Quels sentiments croyez-vous ainsi protéger? Pensez-vous vraiment que votre compagnon ignore que vous n'êtes plus avec lui? Sans jamais en parler, le corps sait quand il est délaissé. Vous montreriez plus d'amour en avouant à votre partenaire votre «décrochage momentané», pour vous redonner franchement ensuite. Ce n'est pas un affront personnel. Ce n'est ni agir de manière mal intentionnée ni faire preuve d'insensibilité. Il s'agit simplement de montrer un comportement honnête, humain et vrai. Que demander de mieux?

Si votre corps vous signale que vous n'êtes pas prête, il exprime la vérité. Il n'y a aucune raison de simuler une excitation si ce n'est pas le cas. La malhonnêteté dans les relations sexuelles n'a pas d'autre explication logique que de protéger la faiblesse de la personnalité ou la fragilité des sentiments personnels.

Avec votre nouveau programme de rétablissement, vous apprendrez, vous et votre partenaire, que vous êtes bien plus qu'une image et que vous avez tous deux le droit d'être «vrais». En renonçant à l'obsession alimentaire, vous aurez aussi besoin de dire non à d'autres phénomènes qui sont dangereux pour vous.

Dans ce chapitre, vous allez apprendre à vous *retrouver* et à expérimenter des techniques pour vous sentir en sécurité, ferme et solide, sans avoir besoin de votre poids pour cela. Sans ces techniques, vous auriez trop peur, vous succomberiez à vos excès alimentaires et vous reprendriez tout le poids perdu. Voici le moment venu de dire non à la nourriture et oui à la vie.

Tiffany, une jeune starlette d'Hollywood, courait les demandes de distribution de rôles et se présentait à toutes les auditions. Elle était anorexique et avait l'habitude de vomir. De temps à autre, elle faisait une figuration dans un film ou jouait un petit rôle dans un feuilleton. Sa carrière démarrait mais ses vomissements devenaient plus fréquents. Tiffany couchait désormais avec certains producteurs, acceptant tous les aspects inhumains de sa profession. Elle utilisait son sorps comme un accessoire, comme un outil pour réussir.

Parfois elle s'affamait douloureusement pendant des semaines pour craquer ensuite lors de week-ends de «grande bouffe». En outre, elle vomissait après toute relation sexuelle avec des hommes qu'elle n'aimait pas. «En tant qu'actrice, je me sers de mon physique comme d'un instrument, disait-elle. On sait bien qu'un acteur passe plus de temps à chercher du travail qu'à tourner. Moi, c'est ma méthode pour trouver du boulot. Et ça marche!» Tiffany avait ainsi rationalisé une attitude qui la détruisait.

Mais son corps ne supportait plus le mensonge. Plus elle sautait d'un lit à l'autre, plus elle vomissait de rage à la pensée de ce qu'elle «devait faire» pour travailler. Quand elle demanda de l'aide pour ses vomissements, elle comprit qu'elle devait changer sa vie sexuelle si elle voulait transformer sa relation avec la nourriture.

Elle dut apprendre à dire non et à nier ce qui, en elle, lui affirmait qu'elle n'y arriverait pas sans souffrance et sans humiliation. Elle devait cesser de se punir. Toute personne souhaitant guérir doit ainsi finir par réexaminer non seulement sa façon de manger mais aussi ses choix de vie.

Tiffany prit sa décision pendant le tournage d'un feuilleton. Alan, la vedette du film, était la coqueluche des femmes. Tout le monde savait que son épouse, Vanessa, le laissait «libre» et qu'il couchait à droite et à gauche, tant pour sa carrière que pour ne pas se sentir prisonnier. C'était un homme à femmes. Pourtant, même «coureur de jupons», son cœur appartenait à Vanessa et ses nombreuses aventures ne prenaient jamais un tour sérieux. Voyant en lui le moyen idéal de faire progresser sa carrière, Tiffany s'imagina qu'une relation intime lui donnerait un meilleur rôle dans le feuilleton, car toute l'équipe, y compris les scénaristes, se rangeaient toujours à l'avis d'Alan. Il était véritablement «l'attraction» du feuilleton.

Pendant deux semaines, Tiffany fit tout pour se faire remarquer, jouant tantôt la «sainte nitouche», tantôt l'indifférente. Au milieu de ce plan de séduction, elle commença un régime et s'engagea auprès de son parrain à ne plus vomir. Après trois jours sans vomissements, elle se sentait énervée, effrayée et de très mauvaise humeur, passant ses nerfs sur les vendeuses qui ne répondaient pas «intelligemment» ou sur les serveuses trop lentes à son goût. C'est à ce moment qu'Alan vint s'asseoir à sa table.

— Je vous ai remarquée, dit-il, et j'ai vu que vous vous intéressiez à moi.

— Bien sûr, vous êtes la vedette du film.

— J'ai aussi d'autres talents...

— Ça aussi, je le sais.

— Accepteriez-vous une audition? Sans engagement. J'aimerais bien vous avoir avec moi plus longtemps.

Exactement la proposition que Tiffany avait souhaité provoquer pour faire avancer sa carrière. Cependant, sans excès alimentaire pour se donner du courage, ni vomissements pour soulager son dégoût d'elle-même et sa hargne, elle répondit fort différemment:

— Non, merci. Je veux être la vedette de ma propre vie. Les mots semblaient surgir de sa bouche, comme venus des profondeurs de son être. Votre femme est le centre d'intérêt de votre vie. Je veux être le centre d'intérêt de ma propre vie.

Après ce premier refus, la carrière de Tiffany prit un nouveau départ et elle commença à se considérer autrement. L'exaltation qu'elle ressentit en prenant le risque de se refuser à Alan la soutint pendant des jours. Auparavant ses seuls sentiments de puissance provenaient de l'euphorie du jeûne. À présent, elle se sentait forte, confiante et très excitée par le risque.

Certes, il pouvait mal le prendre, la faire renvoyer; peut-être même ne retravaillerait-elle jamais. Qui sait? Pourtant, Tiffany avait acquis la certitude qu'elle devait refuser pour se préserver, pour ne plus avoir à supporter ces 5 à 7 furtifs qu'elle ne pouvait endurer sans s'empiffrer et vomir. L'abstinence détermina ainsi sa conduite.

Ce refus ne brisa pas sa carrière. Les scénaristes et le metteur en scène, impressionnés par sa force de caractère, reconnurent sa valeur et prolongèrent son contrat de deux mois. En ne se cachant plus derrière ses vomissements, Tiffany put se montrer elle-même en toute liberté: elle n'avait plus de secrets, plus rien à dissimuler. Elle est aujourd'hui une star. Elle y est parvenue honnêtement et sans commettre d'excès.

Tiffany n'est qu'une femme parmi des milliers d'autres qui ont su dire non à une partie de leur vie pour accéder à la modération et au rétablissement.

Ce chapitre vous apprendra à dire non et à vous sentir bien. Vous saurez jouer un grand rôle dans votre vie en vous entourant du soutien de partenaires plus sains. Au début, la plupart d'entre nous ont eu peur de ce rôle et ont craint d'être abandonnés à leur propre initiative. Pourtant, renoncer à ce pouvoir de dire non et de diriger votre propre vie vous a conduit aux excès alimentaires et à l'autodestruction. Parce que cela était autant de mensonges.

Chaque fois qu'on accepte au lieu de refuser comme on le souhaite, on se ment à soi-même. Et le seul moyen de le supporter est de manger. Pour mettre un terme aux excès alimentaires, il faut apprendre à se battre pour *soi-même*.

Grâce à ce livre, vous avez pris conscience de votre situation et de ce qui vous y a conduit. Vous avez soumis votre personnalité à un nouvel examen. Vous avez mis au jour les éléments qui vous poussent aujourd'hui à entreprendre un parcours de rétablissement durable. Voici venu le moment de mettre en pratique de nouvelles techniques pour dominer les situations anciennes afin de vous sentir bien et réussir votre abstinence. *Vous allez dire non aux aliments et oui à la vie.*

M.C. et codépendants oscillent entre passivité et agressivité. Ils ne connaissent jamais la modération qu'apporte l'assurance. Une majorité de gens, sans problèmes alimentaires, passent toute leur vie sans rien avoir à changer. Ils n'ont pas à modifier leur rôle ni à gagner de l'«assurance». Hélas! les M.C. et les codépendants ne peuvent s'offrir ce luxe. C'est votre ancienne façon d'agir qui vous a conduit à dévorer. *Désormais, changer ou manger : tel est le choix.*

LE COUPLET FAVORI DES GROSSES DAMES : «MERCI, MERCI MILLE FOIS...»

Il le faut bien! En tant qu'obèse, vous vous surpassez pour compenser votre aspect ridicule. Persuadée d'être coupable et moralement inférieure, vous êtes servilement reconnaissante de toutes les miettes de gentillesse qu'on vous accorde. Comme vous encouragez vos proches à vous punir plutôt qu'à vous récompenser, si quelqu'un vous traite convenablement, vous êtes prête à le lui rendre au centuple.

Quand vous aurez arrêté de manger compulsivement, vous découvrirez que cette attitude prévenante doit cesser. Et comme vous ne vous sentirez plus coupable, vous n'essaierez plus d'impressionner les autres, sachant que vous agissez au mieux en fonction de votre maladie. À chaque jour suffit sa peine ! Sans plus rien à cacher, vous commencerez à sentir avec certitude ce qu'il convient de faire ou de ne pas faire. Pour limiter votre alimentation, vous aurez besoin de ralentir les activités autrefois accomplies si vite et si parfaitement pour le compte des autres. Le reste cédera le pas au fur et à mesure que votre abstinence s'affirmera. Cela aura évidemment des conséquences sur vos relations proches ou lointaines.

En tant que codépendant, il va falloir changer vos méthodes. Vous vous étiez adapté à votre M.C. qui se sentait coupable et se détestait, et souvent vous dissimuliez votre rage sous un masque de prévenance. Ensemble, un M.C. et un codépendant constituent une personne responsable et équilibrée. En cours de rétablissement, chacun réclame la part de lui-même qui lui manque.

QUI TIENT LE RÔLE PRINCIPAL ?

La passivité et l'agressivité sont intimement liées aux désordres alimentaires. Souvenez-vous que le corps ne ment pas. Ce n'est pas par hasard que le M.C. change physiquement de volume au moindre incident. Le corps montre la confusion qu'il ressent à ne pas connaître sa place dans le monde. Il ondule comme un gros nuage en forme de champignon. Il se gonfle pour occuper le plus de place possible et rétrécit ensuite. Faute d'avoir appris à se présenter aux autres comme il convient, vous avez l'impression que prendre ou perdre du poids crée l'effet escompté. Malheureusement, le corps comprend rarement vos vrais sentiments. Dire non lui redonnera une meilleure appréhension de la réalité.

LA PASSIVITÉ

Généralement calme et timide, la personne passive tend à se retirer des situations de risque et des conflits. La personne passive, c'est celle qui ne se fait pas remarquer dans les soirées; c'est l'employé amer qui n'ose pas demander d'augmentation; c'est la grosse dame qui se dissimule dans les plis de son grand manteau; c'est l'enfant qui s'accroche aux pantalons de son père et se cache pour regarder sans être vu.

Nous avons tous vécu cela à un moment ou un autre. Les personnes passives préjugent souvent d'elles-mêmes et des autres en disant: «Vous avez raison, j'ai tort.»

Tantôt admirée, tantôt prise en pitié, Polly la passive est rarement invitée. En général, on la tolère mais on ne l'envie pas. Voici le fond et la raison de son attitude passive qui constitue le cri de ralliement de bien des M.C.

- Je ne veux embêter personne. Je préfère souffrir.
- Je tiens déjà assez de place physiquement, je préfère minimiser mes autres aspects.
- Je n'aime pas gêner les autres.

La passivité est également un moyen, aussi subtil qu'efficace, de contrôler ses proches. Polly la passive exhibe ses difficultés afin que les autres volent à son secours et agissent à sa place. De cette manière, elle n'exploite jamais ses capacités et vit un «brouillon» de vie, en attendant le jour où «je serai assez solide... assez riche... assez mince pour...».

Tant qu'elle s'enfermera dans sa passivité et que quelqu'un d'autre agira pour son compte, elle se cachera derrière la nourriture et se lamentera:

- Je ne fais rien de bien...
- Je voulais aider et j'ai tout gâché...
- Que peut-on attendre d'une grosse?
- Ne me demandez rien, je suis au régime...

Dans certains cas, cette passivité peut être saine, voire même gratifiante. Rester calme au lieu de s'emporter constitue parfois un avantage stratégique. Un comportement de retrait est souvent plus efficace que se mettre les pieds dans les plats. Mais lorsque la passivité devient la seule réponse, elle est signe d'autodestruction. Vous n'avez plus qu'un choix limité. Vous êtes obligé de rester de marbre alors que votre corps réclame de l'action. Demeurer strictement passif quoi qu'il arrive expose à des problèmes quand le corps se débat en criant: «Je veux sortir et vivre ma vraie vie!»

Le seul moyen alors de faire taire cette voix intérieure est de l'étouffer dans la nourriture.

En tant que codépendant, vous n'aimez pas la passivité du M.C. Personne ne vous y oblige! Souvenez-vous que votre tâche consiste à bâtir votre propre vie. Dans le passé, vous étiez plus actif pour contrebalancer sa passivité. Maintenant vous ne bénéficiez plus de ce rôle de manière permanente. Peut-être allez-vous vous écrouler.

Pour vous occuper uniquement de vous, apprenez à spécifier vos désirs. Au lieu de voler au secours de votre M.C., montrez-vous de plus en plus exigeant. Cessez de tout prendre en charge. Vous occuper de vous et des autres en même temps risque d'engendrer trop de conflits. Imaginez le problème: vous voudriez satisfaire votre M.C., et ce qui le contente représente pour vous une privation. Ayant tous deux besoin d'encouragement au même moment, vous finirez comme deux gamins s'arrachant un jouet à la garderie... À ce stade, demandez chacun de l'aide à vos parrains respectifs.

L'AGRESSIVITÉ

Andy l'agressif frappe toujours le premier. Il dépense le plus clair de son énergie à se protéger de la critique et à éviter que l'on ne profite de lui. Sa pierre tombale portera l'épitaphe: «Personne n'a réussi à l'avoir...» Son agressivité prend racine dans le même sentiment d'inadaptation que Polly la passive, pourtant il trouve un autre exutoire. Il s'en sort en proclamant: «J'ai raison et vous avez tort.» Il fera tout pour s'en convaincre et vous le faire croire. Il doit cacher son authentique peur. Critiquant tout haut les sentiments de faiblesse, ses armes favorites sont l'attaque directe, la moquerie ou le sarcasme subtil:

- Vous feriez bien de ne pas chercher à m'avoir.

- Je te le ferai payer.

- Tu te crois irrésistible, hein?

- J'aime bien mon ventre. Comme le toubib m'a dit de surveiller mon poids, je l'ai mis là où je pouvais le voir en permanence! Ha! ha! ha!...

L'agressivité est une forme de protection. La meilleure défense, c'est l'attaque. De la même manière que la passivité de Polly était une forme subtile de contrôle, Andy joue de son agressivité pour ne pas avoir à montrer sa vulnérabilité. En ayant l'air d'un dur et en gardant ses distances, en riant ou en faisant peur, il assure sa sécurité.

Comment un tel *dur à cuire* pourrait-il s'avérer vulnérable? En ne voyant que la façade, on le laisse en paix. Face à une agressivité aussi insurmontable, les autres s'en tiennent là et s'en vont. Pourtant, sans le secours de la nourriture, son agressivité s'effondrera et le petit garçon effrayé refera surface.

Certains aspects de l'agressivité sont utiles à la survie. Sans eux, on serait menacé d'être toujours la victime. Comme on ne peut pas écarter complètement cette partie de notre personnalité, on doit seulement déterminer le lieu et le moment où mobiliser notre agressivité afin de la faire travailler pour nous et non plus à notre encontre.

L'ASSURANCE

Idéalement, vous essaierez d'adopter une position neutre, ni passive ni agressive. Une personne ayant une attitude assurée mobilise sa passivité ou son agressivité au gré des besoins. Sa vie est marquée par des hauts et des bas comme tout le monde, mais elle se sent assez en sécurité pour suivre son rythme et adopter le style qui colle à l'occasion. Face à un conflit, une réponse assurée consiste à dire: «J'ai raison et vous aussi. S'il y a un problème entre nous, nous pouvons le régler.»

En tant que personne assurée, vous veillerez au mieux à vos intérêts et prendrez des décisions en conséquence. Selon le cas, vous déciderez d'abandonner certaines positions ou vous tiendrez bon sur d'autres points que certains laisseraient tomber. Vous deviendrez votre propre juge. Vous ne vous soucierez ni de ce que veulent ni de ce qu'attendent les autres. Souple et flexible, vous serez vraiment naturel et vivant.

Pour une description détaillée des techniques pour acquérir de l'assurance, je recommande le livre de Manuel J. Smith, Ph.D., *When I say no, I feel guilty*[3], qui indique clairement l'accent mis sur la plainte des M.C. et des codépendants. Vous y apprendrez les façons de réagir face à la culpabilité et à la critique. Par contre, rares sont ceux qui ont besoin d'aide pour répondre aux louanges que nous supportons généralement assez bien. (Même si certains M.C., plutôt timides, n'apprécient guère les compliments auxquels ils répondent parfois par une autocritique élaborée.) Pour se rétablir, il faut apprendre à supporter la critique. Quand ce n'est pas un autre qui le fait, c'est votre propre juge, assis sur votre épaule, qui vous «passe un savon».

---

3. Quand je dis non, je me sens coupable. (*N.d.T.*)

Apprenez à donner une assurance nouvelle à vos réponses. Car si vous croyez le «juge interne» qui vous accompagne en permanence et fait même des heures supplémentaires pour vous signaler vos erreurs, vous allez vous tourner vers la nourriture pour vous punir. Le codépendant, quant à lui, deviendra de plus en plus violent à l'égard du M.C. Vous finirez tous culpabilisés.

Heureusement, il y a un meilleur moyen d'agir en disant non à son juge (qu'il soit interne ou externe), pour répondre plutôt «oui à la vie».

En cours de guérison, vous devrez faire de nombreux choix pour concentrer vos énergies. Vous définirez un nouveau sens des priorités pour régler les grands problèmes de votre vie. Dès le début, le suivi du programme vous aidera à mettre votre juge à l'écart: «Je ne suis peut-être pas parfait, mais au moins je respecte mon programme alimentaire. Ça ira mieux plus tard. Progression ne veut pas dire perfection.»

Lorsque vous vous sentirez critiqué, essayez de retenir ce qu'il peut y avoir de vrai, sans vous croire pour cela obligé d'accepter la critique en entier. Soyez simplement d'accord avec la partie que vous trouvez exacte. Si quelqu'un vous dit: «Tu es vraiment grosse et laide.» Répondez: «Je suis forte, c'est vrai.» Point final. N'en dites pas plus. Soyez d'accord avec ce qui est prouvé. Admettez parfois la possibilité que l'autre dise la vérité. Utilisez, par exemple, des phrases comme:

- Tu as *peut-être* raison.

- C'est *peut-être* vrai.

- *Il y a certaines chances* que tu aies raison.

- *Peut-être.*

Utilisez aussi cette technique en réponse aux critiques du genre: «Tu fais toujours...» ou «Tu ne fais jamais...» Ainsi, par exemple,

LORSQU'ON VOUS DIT :	RÉPONDEZ :
– Tu finiras par mourir à manger comme ça !	– Tu as peut-être raison.
– Tu ne fais jamais la vaisselle.	– Parfois, je ne la fais pas.
– Tu dois peser au moins 150 kilos !	– C'est possible.
– Tu me fais toujours honte en public.	– Quelques fois je t'ai fait honte en public.

Acquiescez, ne vous opposez pas. L'opposition ne fait qu'encourager la dispute. Vous avez montré que vous ne vouliez pas chercher querelle. Voilà le processus de l'assurance : se défendre sans contredire qui que ce soit. Il n'y a pas lieu d'être culpabilisé pour cela et donc pas de raison de vous punir. Vous vous en servirez lorsque les autres tenteront de vous effrayer pour vous faire agir selon leurs désirs.

Pour masquer le fait que vous ne vous aimez pas, vous évitiez de dire non. Vous vous retrouviez, de ce fait, continuellement manipulé ou en colère. Autrefois, la solution était la nourriture. À présent, vous trouverez d'autres moyens pour faire face à ces «artistes de l'escroquerie» qui font agir les autres avec des phrases débutant par *si*. Ce sont des affirmations qui indiquent comment l'autre voudrait vous voir réagir.

- Si tu m'aimais, tu m'offrirais des bonbons.

- Si t'étais un bon copain, tu me prêterais 500 $.

- Si tu tenais à moi, tu m'empêcherais de manger.

- Si tu pensais à ta santé, tu suivrais un régime.

Face à de telles déclarations, séparez la phrase en deux et répondez :

- Je t'aime *et* je ne t'offrirai pas de bonbons.

- Je suis un bon copain *et* je ne te prêterai pas 500 $.

- Je tiens à toi *et* je ne peux pas le faire pour toi.

- Je tiens à ma santé *et* suivre un régime ne me convient pas.

Insistez sur le «et». Montrez qu'il n'y a aucun lien entre la première et la deuxième partie de la phrase. Quelqu'un qui vous aime n'apporte pas obligatoirement des bonbons. Vous pouvez tenir à votre santé *et* ne pas agir à «leur façon».

Il est très important d'utiliser «et» et non «mais». En employant «mais», vous impliquez une relation entre le point A et le point B; tandis qu'en disant «et», vous séparez bien les deux éléments. Voyez la différence:

- Je t'aime beaucoup *mais* (contrepartie) je ne peux pas dîner avec toi.

- Je t'aime vraiment beaucoup *et* (catégorique) en ce moment je ne peux pas dîner avec toi. (Cela aide aussi de dire «en ce moment», car vous pourrez changer d'avis si vous le voulez.)

Pour garder votre assurance, vous pouvez vous intéresser à l'opinion des autres sans toutefois vous laisser dominer par eux. La limite est très subtile. Montrez un intérêt réel à connaître leur opinion, mais n'acceptez pas la critique.

Posez-leur des questions afin qu'ils définissent leurs commentaires. Demandez-leur de s'expliquer et d'étayer leurs objections ou leurs critiques. Faites-les préciser.

QUAND ILS DISENT:	RÉPONDEZ:
– Quand vas-tu essayer de perdre du poids?	– Je ne comprends pas vraiment pourquoi tu penses que je n'essaie pas de maigrir. Peux-tu mieux m'expliquer ce qui te déçoit?

Ne transformez pas cela en une invitation à la dispute. Montrez un réel besoin de savoir. Vous voulez qu'ils soient clairs dans leur jugement à votre égard. Vous souhaitez qu'ils vous disent franchement ce qu'ils pensent. Vous voudriez qu'au lieu de dire «tu», votre interlocuteur dise «je». Après, vous tomberez peut-être d'accord. «Merci de m'avoir expliqué ton point de vue. Maintenant, je comprends mieux ta position.»

«TU M'AS FORCÉ À T'AIMER»

Les *Je n'ai pas pu m'en empêcher* (un refrain éternel!) sont l'argument des M.C. pour ne pas respecter leur engagement envers eux-mêmes. Alors qu'une promesse faite à autrui semble désintéressée, se promettre quelque chose à soi-même paraît égoïste. Lorsque vous réaliserez que votre désordre alimentaire est une maladie plutôt qu'un problème de moralité, vous allez utiliser le «non» comme une prescription pour un rétablissement.

On se sert des autres pour faillir à son engagement envers la nourriture.

- Ils m'ont poussé à manger.
- C'était la recette favorite de tante Rebecca. Elle l'aurait mal pris.
- Toute la famille célébrait Noël. Comment aurais-je pu refuser?
- Pensiez-vous que j'allais vexer la mariée en refusant un morceau de son gâteau?

Regardons les choses en face. Durant toute la noce, la seule personne qui s'inquiète de savoir si vous prendrez ou non du gâteau, c'est vous. Les mariés ont mille autres choses à faire et ils n'iront pas penser que vous leur souhaitez quarante ans de malheur pour autant. Tout le monde s'en fiche! Sauf vous.

Seule votre obsession vous pousse à manger. C'est un comité qui se réunit dans votre tête et murmure: «Juste un morceau». Et il travaille à temps plein! Vous voyez un énorme projecteur braqué sur vous, tandis que chacun dans la pièce retient son souffle, attendant de voir si vous allez manger ce morceau. Il ne manque plus alors qu'un ami bien intentionné pour susurrer: «Vas-y, c'est une occasion spéciale. Rien qu'un tout petit morceau...»

«Le diable s'en est mêlé», dites-vous...

En réalité, seule est en cause votre histoire d'amour avec la nourriture. Vous utilisez les autres pour parler à votre place et faire ce que vous aviez de toute façon décidé. «Tout le monde en prenait. C'était injuste! Pourquoi pas moi?» (Colère et refus.)

Pourtant, à cette noce, les autres invités, s'ils ne sont pas M.C., mangeront un morceau et l'oublieront. Alors que vous, vous prendrez une part, puis quelques bouchées dans une assiette abandonnée par une amie (dès qu'elle aura les yeux tournés), enfin vous dévorerez tout le glaçage de la part de Janet lorsqu'elle la repoussera en disant: «C'est trop sucré pour moi.» À la fin de la soirée, vous vous demanderez même ce qu'ils ont fait des restes, regrettant de ne pas en avoir pris un morceau à emporter.

D'ailleurs, le drame du gâteau ne s'arrêtera pas au coucher: le lendemain, au supermarché, vous ouvrirez un paquet de biscuits pour tenter de retrouver le plaisir sucré de la veille...

On ne sort pas de ce scénario!

Vous devrez donc mettre autant d'énergie dans votre nouvelle réponse que vous en utilisiez auparavant pour vous empiffrer. L'abstinence doit vous apparaître comme une récompense et non comme une privation. Le cadeau, c'est de pouvoir sentir et vivre sa propre vie.

Voyez cet exemple montrant comment Denise sait s'offrir le plaisir de refuser une part de gâteau lors du mariage de sa sœur, alors que sa tante Ann joue le rôle de la pire tentatrice.

Ann: Sers-toi, Denise! Faisons un vœu de bonheur pour ta sœur.

Denise: Non, merci, tante Ann.

Ann: Allons, Denise, ce n'est pas un jour à faire un régime.
           (Remarquez que Denise a refusé le gâteau sans invoquer son régime. Pas besoin de le dire, cela incite les autres à nous faire craquer. Ne parlez jamais de régime. Prenez conscience que les gens «normaux» ne font pas toute une histoire pour expliquer le pourquoi et le comment de leur refus. Ils disent simplement: «Non, merci».)

Denise: Non, merci, je ne suis pas au régime. Simplement, je n'en ai pas envie maintenant.
           (Remarquez que Denise répète «non» autant pour elle que pour Ann. Cela renforce son opinion. Elle dit aussi «pas maintenant», ce qui implique que plus tard elle pourra y revenir. C'est souvent la meilleure réplique pour repousser les «tentateurs». Mais cela ne suffit pourtant pas à démonter tante Ann...)

Ann: Mais que se passe-t-il, Denise? Serais-tu jalouse de ta sœur parce qu'elle se marie avant toi?
           (Et voilà les critiques! La question peut paraître bien intentionnée, comme si l'interlocuteur s'inquiétait vraiment. En réalité, c'est un coup bas minable, un cliché impliquant une rivalité et une psychologie de bazar. Si tante Ann s'inquiétait vraiment, elle ne poserait pas une telle question par-dessus le buffet en coupant un gâteau. Elle ne veut pas une réponse, elle cherche à vous provo-quer. Ce type de discussion est purement du viol. La réponse la plus simple consisterait à se fourrer une part de gâteau dans la bouche pour étouffer la réponse. Dans ce cas, votre tête vous dit: «Ces gens m'aiment et veulent mon bien.» Mais votre corps, lui, ressent une blessure dans la poitrine. Si vous vous sentez blessé, c'est que vous l'êtes. Souve-

nez-vous que le corps ne ment pas. Ne mangez pas
le gâteau, ressentez plutôt la douleur.)

Denise: En fait, Ann, je ne pense pas que ce soit le cas.
Merci tout de même.
(Denise a assez répondu à la critique en manifes-
tant son désaccord. Elle jugera de sa propre
conduite, merci. Ainsi elle n'offre pas d'autre
explication ni de discussion.)

Ann: (Avec ressentiment) – Eh bien, si j'étais à ta place,
j'analyserais mieux mes vrais sentiments sur ce
mariage.
(Encore une critique: «Ta tante sait mieux que toi.
Tu ne connais même pas tes vrais sentiments. Je
dois les interpréter pour toi.»)

Denise: Merci pour ta sollicitude et *non merci* pour le
gâteau.

Point final

Denise ne fournit aucune explication et laisse à Ann le bénéfice du doute. Peut-être, après tout, que ses commentaires sont
désintéressés et qu'elle ne voit pas à quel point elle se mêle de ce
qui ne la regarde pas. Denise s'en sort sans donner d'explications
et surtout sans manger le gâteau.

Pendant cette discussion, Denise s'est secrètement soutenue
en se disant: «Elle peut courir, la garce, pour que j'en mange.»
Elle a surmonté son envie de l'attaquer verbalement et son refus
l'a laissée exaltée. Sa force et sa confiance en elle ont duré tout
l'après-midi et jusque tard dans la soirée. Le gâteau avait cessé
de l'obséder; à la place, elle était fière d'elle et savait qu'elle
s'était superbement comportée.

Elle se sentait si bien qu'elle osa aborder un beau jeune
homme solitaire qu'elle invita à danser! Elle ne s'était jamais
conduite ainsi auparavant. Paralysée par la timidité, elle restait

habituellement près du buffet à s'empiffrer pour ignorer le traumatisme causé par son angoisse.

Au lieu de cela, elle se sentait légère et méritante. Refuser la nourriture lui avait donné le courage de dire «oui» à son audace. Pourquoi pas? Nous y avons tous droit. Le jeune homme prit son numéro de téléphone et elle passa une très belle soirée, ravie d'avoir résisté au gâteau et à sa tante. En ne se cachant plus derrière la nourriture, Denise avait découvert la femme qui tentait sa chance tout au fond d'elle-même. Quelle surprise!

NE DEVENEZ-VOUS PAS TROP DÉPENDANT?

Annabelle, une diabétique, me fut adressée par un spécialiste. Quand je fis sa connaissance, elle était très respectueuse envers un certain docteur Atwell dont elle ne cessait de chanter les louanges. «C'est notre médecin de famille depuis des années. Il connaît vraiment bien son domaine. S'il me conseille de suivre votre programme de rétablissement, je suis prête.» Malheureusement, à cette époque, le docteur Atwell était fort peu renseigné sur les nouveaux programmes hospitaliers consacrés aux désordres alimentaires. Il savait seulement que de nombreux médecins avaient échoué avec Annabelle.

Annabelle réagissait d'une manière typique. Elle pouffait d'un petit rire timide, ouvrait tout grands ses yeux innocents, et assurait le médecin qu'elle écouterait son avis et suivrait toutes ses suggestions. Mais elle quittait le bureau gênée de son manque de volonté. Quand une infirmière la pesait en faisant: «Tss... Tss...», elle se sentait humiliée de son attitude souriante face aux gens qui détenaient le pouvoir. La situation était tellement désagréable qu'elle préférait porter aux nues leur professionnalisme pour mieux remonter dans sa propre estime. Ses petits rires et ses airs l'aidaient à masquer sa rage d'avoir à consulter un médecin.

Elle vint me trouver avec cette même attitude de «dites-moi ce qu'il faut faire». Pourtant elle n'obtint de se réhabiliter qu'en apprenant à répondre aux autres qu'elle n'avait pas besoin d'eux

pour lui expliquer ce qu'il fallait faire. De toute façon, sa conduite passée montrait qu'elle ne suivait pas les prescriptions des
médecins. Elle devait trouver le moyen de dire «non», haut et
fort.

La chance commença à tourner pour elle trois mois après sa
première visite. Elle n'avait pas subi de crises de boulimie ni pris
de sucres raffinés depuis soixante-seize jours. Elle avait fait une
petite rechute un week-end mais, très vite revenue à son régime,
elle avait perdu 20 kilos! Encore mieux, sa tension et son taux de
sucre dans le sang s'étaient normalisés. Elle n'avait plus besoin
de se piquer à l'insuline chaque jour, comme lorsqu'elle absorbait du sucre en quantité irraisonnable, alors que cet aliment
représentait pour elle un risque mortel.

En tant que M.C., elle ne pouvait se contrôler sans aide. À
chaque visite hebdomadaire, le docteur Atwell était de plus en
plus impressionné par son sérieux. Plutôt que d'attendre avec
passivité ses conseils ou ceux de l'infirmière, Annabelle dirigeait
l'entretien. Elle parlait avec enthousiasme de ses succès aux
Outremangeurs Anonymes, tout excitée à l'idée de partager avec
eux les moments amusants des réunions et de vanter l'aide que
lui apportait son parrain. Elle prévoyait sa stratégie pour assister
sans s'empiffrer aux dîners de famille.

Tout cela déstabilisait le docteur Atwell.

Parvenue à ce stade, Annabelle changea les règles du jeu et
redéfinit son rôle. *Elle* commença à dire au médecin ce qu'*elle*
allait faire pour suivre son programme. En tant que médecin
«responsable» l'ayant déjà vue rechuter maintes fois auparavant,
celui-ci s'inquiétait. Il avait du mal à croire que, cette fois-ci, tout
était différent. Il cherchait toujours à contrôler la situation.

Atwell: Alors Annabelle, il semble que vous soyez sur le
          bon chemin. J'aimerais toutefois vous voir chaque
          semaine afin de m'assurer que vous n'avez pas de
          problème.

(Le docteur Atwell essayait de retrouver leur ancienne relation : le médecin aux commandes et Annabelle rejetant passivement son avis.)

Annab : En fait, docteur Atwell, je pense que je n'ai pas besoin de vous voir chaque semaine. Il est préférable que je ne me pèse qu'une fois par mois. Vous comprenez, j'ai tendance à être obsédée par la balance et je préfère m'accrocher à mon régime plutôt que de surveiller mon poids.

(Annabelle donne ici trop d'explications mais elle tente d'apprendre à son médecin ce dont ont besoin les patients dans son cas. Ce «monde à l'envers» menace leurs futures relations. Le docteur Atwell est trop habitué à des patients passifs et culpabilisés. Annabelle contrôlant son rétablissement, le médecin s'inquiète d'une éventuelle rechute. Il est un peu énervé qu'elle lui dise ce qu'il doit faire.)

Atwell : Vous savez bien, Annabelle, que vous avez tendance à ne pas tenir vos engagements. Je crois que j'ai intérêt à continuer à vous suivre de près.

(Attachement au passé.)

Annab : Je comprends votre inquiétude.

(Écoute active : lui faire savoir qu'elle a entendu et compris son point de vue.)

Et je découvre que le contact quotidien avec les autres chez les O.A. m'aide à tenir mon régime.

(Tri des problèmes.)

Atwell : Oui, mais je dois surveiller de près votre taux de sucre dans le sang.

(Le docteur veut déplacer la discussion sur le terrain professionnel afin de reprendre le contrôle et remettre Annabelle à sa place inférieure habituelle.)

Annab. : À présent, je me prive de sucre depuis assez longtemps pour que mon corps soit devenu un baro-
mètre très sensible. Dans la mesure où je parle avec
quelqu'un d'autre de ma nourriture, je pense que
nous soulèverions le problème bien avant le résultat de mon taux de glycémie. Je préfère m'empêcher de manger préalablement plutôt que
d'analyser mon sang *a posteriori*.

Un tel retournement de situation déconcerte souvent le personnel médical. Une patiente, obèse chronique, diabétique, ayant
passé des heures dans la salle d'attente des médecins, qui déclare
préférer assister à des réunions de profanes pour leur demander
de l'aide plutôt qu'à un spécialiste! Professionnellement inquiet
pour la santé de sa patiente, le médecin tente de se raccrocher aux
techniques éprouvées. Par prudence, il désire garder le contrôle
de la situation.

Inconsciemment, il est déstabilisé par ce nouveau développement et s'inquiète qu'un groupe non professionnel accomplisse
ce qui lui résistait depuis des années. Rares sont les médecins qui
laissent leurs patients libres de choisir le meilleur moyen de se
rétablir. Aussi doit-on les assurer qu'ils ont fait tout leur possible
avant qu'ils n'autorisent d'autres tentatives.

Dans ce cas, il était évident qu'Annabelle s'était définitivement engagée dans la prise en charge de son rétablissement,
marquant un changement spectaculaire dans des relations
patient-médecin vieilles de plus de vingt ans.

Le docteur Atwell fit une dernière tentative pour que sa
patiente change d'avis. Il voyait bien qu'Annabelle, en participant aux réunions des O.A., atteignait le but qu'il lui avait vainement fixé dans le passé. Il savait que ça marchait et, à chaque
visite, il la félicitait de ses progrès. Mais, malgré tous ces gages
de succès, il doutait encore.

Il s'inquiétait d'entendre Annabelle parler d'une maladie
chronique permanente, disant qu'elle devrait être aidée de la

sorte toute sa vie. (Cela ne posait pas de problème pour lui tant que cela signifiait l'aide d'un médecin. Mais l'idée qu'Annabelle puisse se reposer sur d'autres mangeurs compulsifs comme elle le troublait fortement!)

Une dernière fois, il mit Annabelle en garde contre le danger d'espacer ses visites: «Ne croyez-vous pas que vous avez suffisamment assisté à ces réunions? Continuerez-vous à vous y rendre pour *le reste de votre vie*? C'est tout simplement une autre forme de dépendance.»

Annabelle sourit: «Vous avez *peut-être* raison. Je prends mon rétablissement un jour à la fois. *Pour le moment*, il semble que cela me convienne. Actuellement j'ai envie de continuer. J'aime leur idée qu'on *ne change pas une équipe gagnante.*»

Le docteur Atwell resta muet. Que dire? Il ne pouvait nier les résultats. En assumant la responsabilité de son propre rétablissement et en demandant de l'aide à des *alter ego*, Annabelle commençait à prendre sa vie en main de manière très active. De plus en plus confiante dans son alimentation, elle découvrait une nouvelle assurance qui illuminait toute sa vie.

L'inquiétude du docteur Atwell traduit une critique souvent formulée à ceux qui réussissent avec les O.A. Tant qu'ils sont encore gros, personne ne critique leur assistance aux réunions. Mais, dès qu'ils ont perdu leur surpoids, leur entourage commence à émettre des doutes: «Voilà déjà longtemps que tu y vas, tu ne crois pas? Tu as maigri. Tu ne penses pas qu'il faudrait couper ce lien à présent? Tu vas te retrouver en dépendance.»

Cette manière de penser est surprenante. La boulimie n'était-elle pas une dépendance? N'y a-t-il pas, dans notre société, bien d'autres formes de dépendances à toutes sortes de drogues ou d'obsessions? Qu'y a-t-il de mal à transférer cela sur quelque chose de sain et d'enrichissant? Ce n'est pas si terrible d'admettre: «Oui, j'apprécie qu'on me soutienne et qu'on m'aime. À ces réunions, je me sens aidé et je n'ai pas besoin de m'empiffrer en rentrant chez moi.»

Qu'y a-t-il de mal à dépendre de l'amour?

Une personne avec une jambe cassée serait folle de refuser un plâtre ou des béquilles. Pourquoi un M.C. qui souffre ne pourrait-il pas se tourner vers autrui afin de demander de l'aide? Pourquoi pas? Si on a besoin d'une béquille...

Pourquoi toujours croire qu'on résoudra «tout par soi-même». Et, même si c'était vrai, quelle nécessité nous y obligerait?

C'EST PAS «CHINOIS» À COMPRENDRE

En tant que codépendant, vous devez apprendre à montrer vos vrais sentiments face au M.C. Vous êtes *tellement comme un caméléon marchant dans ses souliers* et vous pliant à son humeur qu'il est difficile pour vous d'envisager l'importance de *vos* sentiments. *Ce que vous ressentez* n'a pas à être expliqué, justifié ou excusé. Seulement à être ressenti. Les émotions ne sont jamais appropriées ou déplacées. Elles sont seulement là. Votre plus grande tâche sera de vous occuper de vous et non de lui.

Roberta eut l'occasion de tester sa nouvelle assurance en allant dîner avec Claire, sa fille boulimique. Celle-ci, bénéficiant d'une «permission» de l'unité hospitalière, demanda à sa mère de l'emmener au restaurant: «Je meurs d'envie de manger des mets chinois. Allons chez Foo Long.»

À ces mots, voyant briller les yeux de sa fille, Roberta commença à paniquer. Elle ne voulait pas se mêler du programme alimentaire de Claire, sachant que son alimentation ne la regardait pas. Pourtant elle se sentait mal à l'aise.

Cette lueur dans les yeux de sa fille! Les membres d'une famille savent reconnaître une boulimie imminente rien qu'à l'éclat d'un regard. Claire avait l'air d'un prisonnier libéré qui va retomber dans le crime. Ne voulant pas y être mêlée, Roberta essaya de répondre en exprimant ses sentiments, plutôt que de dire à sa fille ce qu'elle devait faire.

Roberta : Ma chérie, je n'ai pas envie d'aller à ce restaurant.

Claire : Oh, maman. Tu essaies encore de surveiller mon alimentation. Si tu ne t'en préoccupais pas tant, nous pourrions y aller.

Roberta : Ce n'est pas du contrôle. Je n'ai pas envie d'y aller aujourd'hui. Voilà tout.

Claire : Irais-tu si ce n'était pas avec moi ?

Roberta : (L'affirmation de soi doit être vraie.) – Eh bien, oui.

Claire : (Attaquant) – Tu vois ! Tu veux seulement m'empêcher de manger des mets chinois.

Roberta : Ce que tu manges ne me concerne pas. C'est ton problème.

Claire : (Surenchère) – C'est vrai Je mange ce que je veux, quand je veux et je n'ai pas à recevoir d'ordre ! Si tu ne me surveillais pas, nous irions.

Roberta : Je ne veux pas te contrôler et je ne veux pas aller chez Foo Long aujourd'hui. (S'en tenant aux messages «Je».) Je ne veux te donner aucun ordre.

Claire : Alors pourquoi ne veux-tu pas aller au restaurant chinois avec moi ?

Roberta : (Claire a posé une question, ce n'est donc pas une justification. Roberta continue à employer le «Je» en ce qui concerne ses sentiments.) – Puisque tu me le demandes, je vais te dire ce que je ressens. Il m'est difficile d'être avec toi quand je vois ton sentiment de panique vorace envers les aliments. Lorsque tu es comme ça, je préfère ne pas être avec toi. Pourtant j'adore manger avec toi quand tu es plus calme.

Claire : (L'honnêteté de sa mère l'a aidée à comprendre le message. Cela lui permet de se regarder avec lucidité.) – Ai-je vraiment l'air vorace ? J'avais juste l'impression de vouloir y aller comme au bon vieux temps. Je ne m'en rendais pas compte.

Roberta : Nous y sommes allées souvent à l'époque de tes boulimies ; c'est peut-être gravé dans ma mémoire et je préférerais ne pas y aller en ce moment.
(Voyez comme Roberta dit «en ce moment». C'est son sentiment aujourd'hui. Il peut ne pas être permanent. Elle doit dire son sentiment immédiat.)

Roberta : Je perçois de l'anxiété chez toi. Comme si c'était très important d'aller à cet endroit. Cela me rend mal à l'aise.

Claire : Maintenant que tu le dis, je me sens aussi mal à l'aise. Je me suis excitée à l'idée d'aller chez Foo Long. En y repensant, j'étais littéralement obsédée par leur porc aigre-doux. J'avais l'impression qu'il m'appelait !

Roberta : Je pense que c'est cette excitation que je percevais.

Claire : Je ne veux pas manger quelque chose qui m'attire autant. Je ne peux choisir que ce que je pourrais laisser sans regret. Si c'est irrépressible, je dois l'éviter.

Roberta : Ma chérie, ta nourriture te regarde. Je devais juste te dire que je ressentais trop d'inquiétude pour me rendre aujourd'hui dans ce restaurant.

Claire : Merci, maman. Veux-tu aller à la cafétéria où l'on sert ce bon saumon ?

LAISSEZ TOMBER VOTRE RÔLE : SOYEZ SINCÈRE

Il arrive parfois qu'un codépendant souffre en plus de troubles alimentaires. Il assiste alors aux réunions des O.A. et à celles des O-Anon. Beaucoup de couples possèdent cette ambivalence : on est toujours tenté dans ce cas de se livrer à des comparaisons, des compétitions ou des évaluations de son partenaire plutôt que de s'occuper de soi. Il faut donc trouver une manière positive de le convaincre de ne s'intéresser qu'à lui-même. Voici, par exemple, un dialogue entre Louise et Joe après un dîner avec une amie dans un restaurant célèbre pour ses buffets.

Joe :   Ma chérie, depuis que j'ai entrepris mon programme de rétablissement, on m'a toujours dit que ce genre de restaurant n'était pas un bon choix.

(Joe essaie de ne pas paraître trop péremptoire, même si c'est toujours le vieux «Papa sait mieux» ou le «Tu ferais bien de m'écouter» qui s'exprime.)

Louise : Ah bon?

(Louise comprend que Joe veut la voir changer d'attitude pour agir «à sa façon». mais elle ne réagit pas. Elle attend. Sa réplique est une sorte d'interrogation négative. Elle demande plus d'information pour qu'il exprime réellement le fond de sa pensée.)

Joe :   Oui, chérie, je pense que tu ne devrais pas fréquenter ce genre de restaurant.

Louise : Je vois. Qu'est-ce qui te gêne à ce sujet?

(Louise essaie d'obliger Joe à utiliser le «Je» pour qu'il cesse de lui dire ce qu'elle doit faire dans la vie.)

Joe :   Je t'ai observée. Je pense que tu manges plus que tu ne devrais. On ne se méfie pas des quantités avec ces buffets à volonté.

Louise : En quoi cela te gêne-t-il, Joe?

Joe :   En fait, cela ne me gêne pas du tout. Je le dis pour ton bien. Libre à toi de me croire.

(Joe se met sur la défensive parce qu'elle lui demande d'assumer ses propres sentiments et d'être plus direct. Il préfère lui dire ce qu'il convient de faire plutôt que de dévoiler ses sentiments personnels. Il aurait pu employer le «je» en disant «Je n'aime pas ça». Mais, à ce stade, cette réponse aurait peut-être été trop risquée pour lui.)

Louise : (Lui faisant savoir qu'elle se sent en sécurité avec son propre programme alimentaire) – J'ai compris ton inquiétude *et* je pense recevoir assez d'aide avec mon programme alimentaire. Mon parrain et moi, nous pensons que les buffets me conviennent très bien.

(Cela clôt le sujet. Louise a montré à Joe qu'elle était capable de juger elle-même de sa conduite et qu'elle ne s'en justifierait à personne. En travaillant activement avec son parrain des O.A., elle sait que son programme alimentaire est organisé, discipliné, sain et qu'elle ne se leurre pas au sujet de son alimentation. Sa certitude vis-à-vis des aliments engendre sa certitude dans ses relations avec les autres.)

DÉVOILEZ VOS SENTIMENTS

L'idéal est de pouvoir exprimer sa pensée et ses sentiments *sans blesser les autres ni se meurtrir soi-même*. Cela dépend de la nature de la relation et de la force de ses sentiments.

Il est important que vous employiez le «je» pour parler de vous-même et de vos sentiments plutôt que d'utiliser le «vous» pour parler des autres. Le sujet que vous connaissez le mieux, c'est *vous* et *vos* sentiments. Par exemple :

- Je suis choqué par vos critiques.

- Je voudrais me sentir plus aimé de toi.

- J'ai peur que tu ne m'aimes pas.

- J'ai peur que tu me quittes.

- Je suis très malheureux de te décevoir.

- J'ai honte de mon surpoids.
- Je me sens très perturbé lorsque tu me demandes mon poids.

Rita est une anorexique en rétablissement. Sa mère est aujourd'hui heureuse de la voir manger. Cependant, elle voudrait élargir leur relation à d'autres domaines que la nourriture et les régimes dont les deux femmes discutent sans cesse. Elle se lamente: «Est-ce vraiment tout ce qu'il y a entre nous?» Elle voudrait autre chose. Son parrain aux O-Anon l'a aidée à trouver des réponses plus assurées face à sa fille.

Rita: (Parlant au téléphone.) – Salut, maman! On dîne ensemble la semaine prochaine?

La mère: Eh bien, Rita, j'aurais plaisir à te voir mais je préférerais en dehors du dîner.

Rita: Que veux-tu dire? Tu iras bien dîner tout de même?

La mère: Bien sûr.

Rita: Alors pourquoi pas avec moi. Tu ne veux pas que je mange?

La mère: Ça te regarde si tu manges ou non. C'est ton choix. Mais j'aimerais faire quelque chose d'autre.

Rita: J'y suis! Tu essaies encore de contrôler mon alimentation.

La mère: Je regrette de ne pas avoir d'autres sujets de discussion que la nourriture avec toi. Pour moi, cela nous bloque. J'aimerais faire autre chose avec toi. En vérité, j'ai tendance à surveiller ce que tu manges et je suis particulièrement inquiète quand je te vois picorer. Je vérifie toujours si tu finis ton assiette. Je pense que cela interfère dans nos relations. Je voudrais que nous fassions ensemble quelque chose qui n'a rien à voir avec la nourriture. Voyons ce qu'on pourrait choisir.

La mère se sent rassurée d'avoir exprimé sa volonté en disant «Je». Elle ne répond pas à la provocation de Rita sur le contrôle de son alimentation. Elle exprime simplement qu'elle voudrait voir sa fille, qu'elle se soucie d'elle, mais qu'elle surveille sa propre tendance à la contrôler. Elle admet également que la nourriture se met en travers de leur chemin et qu'elle souhaiterait plutôt un rapprochement. Elle est fatiguée d'espionner l'assiette de sa fille.

Dans ce cas, la mère a eu raison de se montrer directe et d'exprimer sa volonté. Rita, elle, cherchait avant tout une partenaire de table. Les meilleurs compagnons sont souvent les parents sévères. Ils participent et punissent. Comme ça, on obtient les deux. Malheureusement, la mère ne voulait plus jouer ce rôle et Rita n'était pas prête.

Rita: (En colère) – Bon, je crois que tu essaies encore de me faire manger à ta façon. Si tu n'étais pas si acharnée à me contrôler, tu pourrais accepter de me voir manger à ma guise. C'est ton problème vis-à-vis de mon alimentation qui nous bloque.
(En fait ce dialogue marque une amélioration pour Rita. Dans le passé, elle n'exprimait jamais sa rage. Ce n'est pas par hasard qu'un des ouvrages de référence sur l'anorexie s'intitule *The Best Little Girl in the World* [La plus gentille petite fille du monde]. Une anorexique est toujours adorable tant qu'elle meurt de faim.)

La mère: (Acceptant cette éventualité.) – Tu as peut-être raison et plutôt que de me tester sur toi, je préfère déplacer notre relation dans un autre domaine. J'aimerais aller au musée.

Rita :   C'est dommage, maman. Mais si tu ne peux m'accepter comme je suis, mangeant comme je mange, alors je n'ai plus rien à faire avec toi.

La mère : Tu sembles en colère contre moi. Je suis désolée que tu le prennes ainsi. S'il te plaît, essaie de comprendre que j'aimerais vraiment aller au musée, à un festival, à une exposition ou à tout autre endroit qui te plairait. Dis-moi si tu désirerais une activité de ce genre.

(La mère continue ses messages en « Je » malgré les attaques de sa fille et ne se laisse pas influencer par sa colère.)

Chacune des femmes dévoile ses sentiments à l'autre. Aujourd'hui, elles sont en mesure de s'exprimer et de s'affirmer séparément. Cet échange téléphonique éclaire le problème crucial de leur relation autour de la nourriture.

Peut-être que cette mère et sa fille n'ont rien d'autre en commun que leur lutte au sujet de l'alimentation. Si l'une des deux se retire de la bagarre, il ne reste plus rien. Mais elles méritent d'avoir une chance de le découvrir.

CHÉRI, FAIS-MOI MAL !

Beaucoup de femmes obèses implorent leur mari trop passif d'être plus ferme avec elles. Souvent le mari ne tient pas à jouer ce rôle et, même s'il essaie, il n'atteint pas l'intensité désirée par sa femme. Il se réfugie derrière une acceptation passive de la situation, une attitude qui favorise les agressions indirectes plutôt que les attaques de front.

Depuis des années Élizabeth harcelait ainsi Joël, son mari, pour qu'il lui tienne tête. Se plaignant d'être négligée et non contrôlée, elle voulait qu'il lui fixe des limites. Cela fait partie des désirs inconscients des M.C. de rester comme des enfants tout en contrôlant tout.

Joël était un ancien camionneur qui, après s'être brisé la hanche dans un accident, avait pris une retraite anticipée. Comme il souffrait également d'une perte de l'audition, il comptait sur Élizabeth pour suppléer à ses oreilles déficientes. Sortant rarement sans elle, il ne demandait jamais aux autres de hausser la voix. C'était plus facile de se reposer sur sa femme qui «traduisait» pour lui. En échange, Joël était au service d'Élizabeth. Comme elle pesait plus de 180 kilos et marchait avec difficulté, il ne cessait de lui rendre service. Il ramassait le crayon tombé par terre, préparait les repas, boutonnait ses vêtements et l'aidait à se sortir des sièges trop enveloppants. En tant que couple d'invalides, ils fonctionnaient parfaitement. Devenant ainsi de plus en plus dépendants l'un de l'autre, ils ne quittèrent bientôt plus la maison. Il cuisinait; elle mangeait.

Le rétablissement fut une véritable menace pour ce couple fonctionnant en vase clos.

En secret, Joël s'inquiétait pour la santé d'Élizabeth, craignant à tout moment une attaque cardiaque. Par ailleurs, il était fatigué d'avoir à s'occuper d'elle. Comme beaucoup d'époux de malades chroniques ou de personnes dépendantes, il souffrait aussi et endurait un curieux mélange de peine et de colère. Le codépendant ressent de la compassion pour la souffrance, mais il se sent également impuissant face à la lente détérioration de son partenaire. Constatant son incapacité à aider, il ne décolère pas.

Joël en était même arrivé à souhaiter la disparition d'Élizabeth plutôt que de continuer à subir le traumatisme de ce lent suicide. Il savait aussi qu'il ne faut pas se mettre en colère contre un malade. Ne trouvant aucune échappatoire émotionnelle, il était dans un état de frustration totale. Même si Élizabeth lui demandait souvent d'exprimer ses sentiments, Joël n'osait pas leur donner libre cours. Elle savait qu'il était en colère. Son attitude le montrait. Mais il ne disait jamais rien directement. Il y avait trop à perdre.

Joël dut faire face à son propre refus. Il commença par dire «non» à Élizabeth. Il resta assis, raide, à la regarder lutter pour ramasser un crayon. Renoncer à son ancien comportement, connu et prévisible, est une autre manière de dire non. Souvent l'action est plus éloquente que les mots.

Élizabeth n'avait pas eu jusque-là à subir les conséquences de ses troubles alimentaires. Joël était toujours là pour l'aider. Dans la famille, elle avait officiellement un «statut d'invalide»; elle trouvait cette position normale, car elle avait peiné pour élever les deux enfants de Joël, nés d'un précédent mariage. Pourtant, même s'il était fondé sur un certain mérite, cet arrangement la tuait à petit feu.

Après quelques semaines avec les O-Anon, Joël prit de l'assurance face à Élizabeth et lui signifia, gentiment, qu'il cesserait désormais d'être son esclave.

Personne n'aime ce genre de propos et Élizabeth ne fit pas exception à la règle. Elle le harcela, l'accusant de la négliger.

Après avoir refoulé sa colère pendant tant d'années, Joël eut d'abord de la difficulté à répliquer. D'autres codépendants l'encouragèrent au cours de réunions de thérapie familiale. Là, il trouva la force de lui répondre. Il se leva, la mâchoire frémissante et le regard dur, et cria: «Bon sang, ma vieille, tu me respectes ou sinon tu t'en vas!» Un lourd silence retomba et Élizabeth demeura abasourdie. Puis, pétrie de respect, elle fondit en larmes: «Je ne te dirai plus jamais rien de désagréable», sanglota-t-elle.

Elle avait brusquement pris peur qu'il ne mette sa menace à exécution si les choses ne s'arrangeaient pas. Elle était terrifiée. Il avait toute liberté de choix. Elle s'émerveilla de le voir ainsi devenir autonome et sut qu'il pensait réellement ce qu'il disait.

Grâce au soutien des autres codépendants, Joël ne se sentit nullement coupable. Il lui fut confirmé que le rétablissement d'Élizabeth ne pourrait venir que d'elle.

Auparavant, il n'avait jamais été aussi ferme avec elle et *elle avait adoré ça.* Pendant des années, elle l'avait imploré de se comporter ainsi. Toujours en vain, dans la mesure où c'est elle qui en formulait la demande. Cette fois-ci, tout venait de lui. Aucun des deux n'a oublié ce jour mémorable qui marqua le début d'une nouvelle vie. Plus de fuite en arrière! Plus besoin de se dissimuler!

Pour montrer que son «statut d'invalide» ne la souciait guère, Élizabeth se moquait souvent d'elle-même, n'hésitant pas à faire le clown à l'occasion. De cette manière, elle gardait le contrôle: elle se moquait d'elle-même avant que les autres n'aient eu le temps de le faire.

Quand elle arrivait, haletant et soufflant, elle raillait: «Avec un gros tas comme moi, j'espère que vos chaises sont solides! Ha! ha!» Se ridiculiser était une manière idiote de rembourser Joël de tout le mal qu'il se donnait. Elle se déshumanisait tellement (*Je ne suis qu'un gros tas de graisse*) qu'elle ne respectait plus ses propres sentiments. À partir du moment où Joël surmonta sa peur de se mettre en colère, elle fut forcée de se prendre plus au sérieux. S'il pouvait exiger le respect, alors elle devait agir de même.

Élizabeth apprit à s'accepter comme une malade qui essaie de guérir. Elle commença à se respecter. Elle prit la parole aux réunions des O.A. et partagea la souffrance de son obésité. Elle devait d'abord s'ouvrir à des étrangers avant de pouvoir le faire auprès de Joël. Elle devait s'entendre dire: «Je souffre de mon poids et j'en ai assez d'en plaisanter.» Aujourd'hui, le couple assiste à des réunions séparées où chacun peut exposer ses sentiments. Quand ces personnes se retrouvent, ils se sentent l'un et l'autre plus assurés.

Une année plus tard et 100 kilos en moins, je leur demandai: «Peut-on dire que ce rétablissement vous a séparés? Vous ne vous quittiez presque pas autrefois. Aujourd'hui vous assistez à des réunions différentes et vous vous disputez plus qu'auparavant.» Ils furent l'un et l'autre surpris à cette idée. Joël expliqua qu'il éprouvait un sentiment de liberté de ne plus vivre sous la menace ni sous la dépendance d'Élizabeth: «Elle a ses problèmes, j'ai les miens.»

Élizabeth sourit avec coquetterie: «Depuis que nous avons développé des activités séparées, notre vie sexuelle a repris vie et c'est formidable.»

Ce n'est pas drôle de coucher avec son double. En se différenciant, ils se retrouvaient d'une manière bien plus excitante.

Quand je les vis ce jour-là, nous avions pris place dans les fauteuils bas et profonds du hall de l'hôpital. Élizabeth demanda à Joël de lui passer deux chaises droites pour se relever. Il n'y avait que des chaises pliantes. Elle regarda autour d'elle en se demandant si elles seraient assez solides pour la soutenir. Puis, en se tournant vers Joël et moi, elle dit: «Oh, tant pis. Je me débrouillerai toute seule.» Elle prit une grande inspiration, soupira, poussa et se leva. Joël montra son approbation: il s'était libéré de son esclavage!

UNE SAINE NEUTRALITÉ

Grâce à cette assurance nouvellement acquise, vous n'aurez plus à vous convaincre l'un l'autre et apprendrez à vous occuper de vos affaires. En assistant à vos propres réunions d'aide, vous n'aurez plus le temps de vous occuper des autres. S'occuper de soi est un travail à temps plein.

Chacun a droit à l'aide et au soutien des autres. De même que l'on a droit au bonheur de donner de l'amour aux autres. C'est difficile quand on fait de son mieux pour tout donner et que l'être cher auquel on tient continue à souffrir et à être malheureux. C'est très dur de cesser de l'«aider».

Cependant, c'est souvent la meilleure chose que vous puissiez faire pour lui. En vous retirant du combat que mène la personne aimée, vous l'aidez à se tourner vers quelqu'un d'autre.

Cela ne vous rend pas inutile. Cela signifie simplement que cette tâche n'était pas la vôtre. Peut-être êtes-vous trop proches, peut-être vous aime-t-il trop. Aveuglé par son zèle à vous plaire, il peut ne pas trouver son propre chemin vers le rétablissement.

Il est difficile d'admettre que le fait de laisser tomber, de lâcher prise puisse être une forme d'aide.

De nouveau, nous rencontrons le message : **perdre pour gagner**. Vous devrez mettre en place une nouvelle relation d'amour, d'égal à égal, sans chercher à prendre la situation à bras-le-corps. (Si vous voulez vous battre avec la maladie, devenez donc docteur !) Il est bon de séparer l'individu et la maladie. Vous pouvez continuer à l'aimer, mais vous n'avez pas à aimer sa maladie.

Dès que vous aurez établi une saine neutralité entre vous, vous rencontrerez sans doute les mêmes problèmes que tous ceux qui ne souffrent pas de désordres alimentaires. Dans toute relation, aussi bonne soit-elle, il existe des conflits : l'un veut sortir quand l'autre préfère rester à la maison ; le premier a choisi du papier peint quand le second a opté pour de la peinture ; les deux ont besoin de la voiture au même moment ; tout le monde est de mauvaise humeur le même jour.

Même si vous connaissez les bonnes réponses, que nous venons d'indiquer dans ce chapitre, rien ne changera si votre ton et votre attitude ramènent au passé.

C'est pour cela que l'assistance aux réunions des O.A. et des O-Anon est si importante. Les autres se rendent mieux compte que vous de votre attitude. Ils peuvent vous dire s'ils ressentent vraiment votre changement. Ils interpréteront vos non-dits et vous aideront à entendre ce que vous n'avez pas dit. Les réunions seront des terrains d'entraînement afin que, de retour à la maison auprès des vôtres, vous puissiez tenir votre place à la perfection.

Avant d'utiliser ainsi votre groupe, il est utile de se fixer les directives qui suivent comme règle personnelle.

Les « **ne faites pas** » et « **faites** » suggérés peuvent être également suivis par les M.C. et les codépendants puisqu'ils sont tous deux victimes de désordres alimentaires. Vous aurez également une tendance identique à retomber dans les erreurs passées : le M.C. en renouant avec ses boulimies, et le codépendant en s'obsédant à le surveiller.

La guérison pouvant durer toute une vie, il est inexorable qu'il y ait des rechutes que vous devrez essayer de ne pas juger. Vous attendrez qu'elles passent pour repartir de l'avant. En cas de rechute, réalisez que celui qui retombe se fait du mal à lui-même mais ne s'attaque nullement à vous. Prenez soin de vous. Occupez-vous de vos problèmes...

Les « ne faites pas » et « faites » des m.c. et des codépendants

- Ne faites pas la morale ou la leçon à votre femme, mari, enfant, parent, etc.
- N'ayez pas l'attitude « Regarde, moi je... »
- N'employez pas le « Si tu m'aimais, tu... »
- Ne faites pas des menaces que vous ne tenez pas.
- Ne revenez pas sans arrêt sur le passé.
- Ne cachez pas la nourriture et n'évitez pas les occasions sociales.
- Ne vous disputez pas pendant une crise de boulimie.
- Ne faites pas un problème du traitement.
- Ne prenez pas des airs de martyr.
- N'attendez pas un résultat immédiat à 100%.
- Ne soyez pas jaloux du rétablissement.
- Ne soyez pas complice des rechutes mais pardonnez.
- N'essayez pas de le protéger.

- Ne poussez personne à faire quelque chose si ce n'est vous-même.

- *Au contraire*

  - Apprenez à comprendre les désordres alimentaires.
  - Développez une attitude en accord avec ceux-ci.
  - Parlez à quelqu'un qui comprend (conseiller, parrain).
  - Faites votre bilan et celui de vos attitudes.
  - Allez dans un hôpital, un centre de traitement, aux O-Anon ou aux Al-Anon.
  - Maintenez une atmosphère propice à la maison.
  - Encouragez les nouveaux centres d'intérêt mais ne harcelez personne.
  - En cas de rechute, ne la prenez jamais à la légère.
  - Transmettez votre savoir aux autres.
  - Soyez honnête envers vous-même.
  - Occupez-vous de vos problèmes.
  - Prenez soin de vous.
  - Essayez de vous relaxer et de prendre les choses moins à cœur.
  - Montrez que vous souhaitez trouver une issue à cette situation.

EN RÉSUMÉ

La plupart de ces techniques impliquent de nouvelles habitudes qui semblent étranges au début. Donnez-vous la chance d'apprendre.

Vous aurez besoin de pratique. Essayez d'abord avec un ami des O.A. ou des O-Anon. Puis, lorsque vous vous sentirez plus confiant, essayez à la maison. C'est le plus dur des terrains d'expérience, aussi n'omettez pas d'abord la pratique avec les membres de votre «nouvelle famille élargie» des O.A.

Vous devez faire très attention à l'effet que vous produisez sur l'autre. À l'évidence, il est plus facile d'être fort et d'exposer son cas à celui qui n'est pas l'être aimé. Trouvez d'abord cette assurance auprès de personnes moins proches, voire des étrangers, puis passez à vos familiers. Vous ne voudriez pas blesser l'âme et le cœur de l'autre. Vous voulez vous en sortir sans regretter votre conduite et en aimant ce que vous avez fait. Vous voulez pouvoir regarder en arrière et vous dire: «J'aime la façon dont j'ai conduit cette affaire.» Quand vous vous sentirez bien avec les autres, ni dominateur ni dominé, alors vous pourrez vous détendre et vous admirer. Vous n'aurez plus besoin de vous punir avec de la nourriture.

8

LA PEUR
DE S'ENVOLER

« Oui! Je vis ma vie. Je veux maintenant la passer à penser à autre chose qu'à la nourriture.» Tel est votre plus cher désir, bien sûr. Alors pourquoi êtes-vous resté pendant trente, quarante ou cinquante ans à souffrir les affres de la maladie et à nier ce qui vous arrivait? Pourquoi vous enfonciez-vous un peu plus chaque jour dans la souffrance? Parce que vous aviez peur de prendre votre envol! Vous ne pensiez pas avoir droit à une belle vie.

Lorsque l'être humain agit, c'est toujours avec de bonnes raisons. Vous, vous possédiez quantité de bonnes raisons pour continuer à souffrir de vos désordres alimentaires. La première, évidemment, provenait de votre ignorance. Mais à présent, vous avez lu ce livre. Vous aviez donc choisi la souffrance plutôt que l'autre solution, celle d'une vie sans peine et sans sentiment de culpabilité. Nombreux sont ceux qui ont peur de se sentir authentiquement heureux, peur de l'insouciance et du bonheur. Beaucoup craignent de paraître superficiels et irresponsables s'ils n'endurent pas quelque chose. Exhiber la souffrance de ses excès est une manière de proclamer symboliquement à la face du monde que vous vous souciez de ses malheurs.

Différentes causes humanitaires – la démilitarisation, l'aide aux défavorisés, le combat contre la famine ou la préservation des espèces en voie de disparition – rassemblent dans leurs rangs de nombreux boulimiques qui cherchent à témoigner qu'ils savent aussi s'occuper des autres. C'est une façon de montrer qu'ils ne se soucient pas que de leur seule personne. Ce livre, s'il doit se réduire à un seul message, vous dit de vous soucier de vous avant de vous occuper du sort du monde.

On comprend que ce nouvel attachement ne soit pas toujours vu d'un œil favorable par ceux qui avaient pris l'habitude de dépendre de vous. Ils vont sans doute se muer en codépendants pour vous cantonner dans votre ancien rôle traditionnel.

Au lieu de continuer à vous empiffrer, vous serez sans doute tenté de fréquenter les centres de santé et de vous ménager des repas avec vos amis. Autant d'activités que vous auriez autrefois jugées trop égoïstes alors qu'il y avait tant à faire. À présent, l'important est d'assurer votre sérénité et votre sécurité afin de mettre un terme à vos excès alimentaires. Ne pas retomber dans la boulimie doit devenir votre priorité absolue. Il vous faut devenir le fanatique de votre propre cause.

Le problème posé ici dépasse largement celui du poids ou des soins que vous allez vous octroyer.

Pour obtenir un rétablissement durable, vous devez redéfinir à la base votre engagement envers vous-même et la vie. Êtes-vous prêt et réellement désireux de devenir quelqu'un qui sait réagir positivement à tous les bons aspects de la vie? Il est plus facile de retrouver le chemin de la souffrance, vous saviez si bien la supporter. Ce vieux manteau de douleur, parfois si confortable, vous allait à merveille.

Comment allez-vous désormais apprendre à supporter tous ces nouveaux bienfaits?

S'il ne s'agissait pas là d'un point fondamental du processus de rétablissement, nous ne constaterions pas autant d'échecs et de malades retombant dans leurs anciennes souffrances. Si vous aviez su jouir d'une belle vie, vous n'auriez sans doute pas choisi de lire ce livre. Vous n'auriez pas rechuté si souvent.

Dans ce dernier chapitre, nous allons examiner les possibilités qui s'ouvrent dans votre nouvelle vie. Vous verrez le rapport entre la peur de la réussite et le fait de rompre ses attaches. Grâce à la nouvelle famille trouvée auprès des O.A. ou des O-Anon, vous gagnerez de la confiance, des encouragements et suffisamment d'estime envers vous-même *pour foncer*!

LA PEUR DE LA RÉUSSITE

Sur un voyage de 100 kilomètres, la 90e borne n'indique encore que la moitié du chemin. C'est là le drame des 5 derniers kilos, souvent fatals pour de nombreux boulimiques incapables de supporter le succès. D'après une statistique américaine, 97% des patients ayant suivi un programme d'amaigrissement ont, au bout de deux ans, repris intégralement leur poids, si ce n'est plus!

Les responsabilités engendrées par la réussite semblent faire rechuter même ceux qui ont déjà réussi à perdre des dizaines de kilos. Si vous avez été victime de ce «yo-yo», vous avez déjà maintes fois vécu ce sentiment de découragement.

Au début, les félicitations et les encouragements ne font qu'accroître la motivation. Peu à peu, ces marques d'approbation disparaissent et le monde commence à attendre quelque chose d'autre de votre part. Comment vivre dans la peau de monsieur Tout-le-monde quand on a cessé d'être un monstre? Tant que votre entourage était impressionné par votre succès, vous étiez au centre de toutes les attentions. En même temps, vous craigniez que cela cesse. Par anticipation, vous vous êtes donc fixé des défis de plus en plus grands pour continuer à rester le point de mire.

Cette attention des autres est parfois un facteur d'aggravation. En effet, l'aspect physique de quelqu'un qui suit un régime est du domaine public. Comme chacun y va de son commentaire, cela devient plus leur affaire que la vôtre.

«Salut, que tu es mince! vous dit-on. Tu as vraiment perdu du poids!» Vous remerciez d'un pâle sourire mais, en fait, vous avez l'impression qu'on vous violente. Vous ne vous permettez pas, vous, de faire des commentaires sur l'apparence physique de vos interlocuteurs! Vous pensez que c'est leur problème. Vous aimez les compliments, vous voulez qu'on vous remarque, mais en même temps vous ressentez ces paroles comme une intrusion. Cela montre que, plus tard, les autres n'hésiteront pas à faire des commentaires si vous reprenez du poids. Vous vivez dans la crainte. Vous vous demandez en quoi tout cela les concerne.

En tant qu'obèse, vous avez sans doute entretenu une vision chimérique de la vie des gens minces. Pour avoir imaginé que tout deviendrait parfait à partir du moment où vous auriez maigri, vous vous exposez à quantité de désillusions. Même après avoir perdu du poids, vous vous trouvez toujours confronté aux mêmes problèmes humains. Vous pouvez alors décider d'engraisser de nouveau pour continuer à vivre avec votre problème. Au moins, ça, vous savez comment le gérer!

Dans le difficile exercice de l'amaigrissement, le retour au point de départ est toujours la solution facile. En d'autres termes, cela vous épargne d'avoir à utiliser de nouveaux outils, de nouvelles méthodes pour vous comporter comme un mince «normal». Si vous ne parlez pas de «régime», de quoi pourriez-vous vous entretenir? Même des malades qui ont réussi à perdre des dizaines de kilos avec une réduction de l'estomac se mettent à engraisser après quelques années. Confronté à ces «curiosités» de la science, le chirurgien répond: «C'est impossible que vous ayez repris tant de poids!» Il ne comprend pas que c'était ça ou affronter la dure réalité. Vous ne savez pas gérer cette réussite que vous aviez pourtant appelée de vos vœux.

Dans mon bureau, j'ai accroché au mur une affiche montrant un petit poussin à peine sorti de l'œuf qui dit: «Et maintenant, qu'est-ce que je fais?» À cette question cruciale pour tous ceux qui ont suivi un régime, je réponds: «**Fréquentez les gagnants.**»

Après tant d'années passées à souffrir, l'adaptation sera difficile et vous aurez du mal à accepter la belle vie au quotidien. Vous aurez besoin de rechercher et de vous accrocher à d'autres personnes ayant réussi, qui ne se sentiront donc pas menacées et qui sauront apprécier vos succès.

En élargissant ainsi votre cercle d'amis, les nouveaux venus vous apprendront à accepter le succès sans être enclins à vous faire rechuter dans vos échecs passés. (En continuant à fréquenter les O.A., vous obtiendrez le coup de pouce nécessaire pour «aller de l'avant».) Vos succès, à leur tour, ne feront que les aider et les motiver. Au lieu d'espérer vous voir faillir, ils vous motiveront et vous encourageront. Aux O.A., on organise des réunions spéciales de «soutien» où seule la réussite est à l'ordre du jour. La discussion porte sur des thèmes comme le «stress du succès» ou le «problème de l'abondance». Les O.A. ont besoin d'aide pour supporter leur «belle» vie.

Voici quelques exemples de lutte pour assurer le succès, comme en témoignent un certain nombre de personnes qui ont réussi. Demandez-vous dans quelle mesure ces affirmations s'appliquent à votre cas.

- *L'égalité*

  «Je ne sais pas comment me comporter face à l'égalité. J'ai l'habitude de fréquenter des gens que je trouve mieux ou pires que moi. Je ne sais pas m'adapter à une situation égalitaire. Je marche sur la pointe des pieds par peur de ma propre force. Lorsque je me sens heureux, j'essaie de ne pas en parler au cas où l'autre ne serait pas dans le même état d'esprit.»

- **La solitude**

  «Après avoir si bien réussi, pourquoi est-ce que je me sens si mal ? Tout se passe à merveille et pourtant je me sens seul. Beaucoup de mes anciens amis me fuient à présent.»

- **Les amis**

  «Sans vous je ne suis rien, mais avec vous je perds mon sentiment d'identité. Si je ne suis pas en train de me plaindre de mes problèmes, je n'ai plus rien à dire.»

- **La dépendance**

  «Pour vivre mes relations, j'ai besoin de me détruire et d'être demandeur. Hors de cet état, personne ne s'intéresse à moi.»

- **Les émotions**

  «J'ai besoin d'exprimer mes sentiments, mais je dois prendre garde de ne blesser personne. C'est de l'équilibre sur une corde raide : être honnête sans l'être trop...»

- **Les opinions divergentes**

  «Si je ne vois pas les choses comme vous, c'est sans doute que je me trompe. Je n'arrive pas à croire que je puisse avoir raison. Est-ce que je me trompe ?»

- **Les conflits**

  «Je dois apprendre à maîtriser les divergences sans me jeter tête baissée sur les problèmes au risque de gêner tout le monde. Je dois aider les autres à se sentir mieux.»

- **La culpabilité**

  «Je me sens responsable des sentiments de chacun et, en même temps, je n'ai pas la moindre idée de ce qu'il faut faire pour soulager leur souffrance.»

- **Les mythes**

  «On m'a toujours appris à me battre pour l'emporter; pourtant la victoire est amère. Même quand je gagne, j'ai l'impression de perdre.»

- **Les modèles**

  «Je n'ai personne pour me guider. C'est comme si, le premier, j'explorais une nouvelle piste. Personne à ma connaissance ne vit la vie que je voudrais connaître.»

- **La santé**

  «Ce n'est pas si mal d'être malade. On ne fait peur à personne. On se fait dorloter sans risque. À défaut de problèmes de poids, la migraine peut faire l'affaire.»

- **Le sexe**

  «Les hommes n'aiment pas les femmes dans mon genre. Si je suis différente, personne ne voudra de moi.»

- **Les craintes**

  «Je veux essayer de nouvelles choses inconnues. Personne ne comprend ce que je désire. À qui puis-je parler?»

Rares sont ceux qui connaissent des modèles efficaces pour affronter la réussite. Aux réunions des O.A., ces modèles sont fournis par ceux qui sont plus avancés sur la voie de la guérison. Tant que vous n'avez pas atteint un stade comparable, il est inutile de leur parler.

Lorsqu'un nouveau venu demande à son parrain en quoi consiste cette «peur de la minceur», celui-ci réplique: «Maigrissez d'abord, on en parlera ensuite.» Autrement dit, cela n'a pas de sens d'étudier ce problème tant qu'il ne se présente pas. C'est pour cela que le soutien des O.A. doit durer toute la vie. Le groupe vous donnera ce dont vous avez besoin au fur et à mesure de votre avancement. Il faut se garder de philosopher ou de faire de l'intellectualisme tant qu'on n'y est pas.

Dans mon bureau, en face de l'affiche du poussin, j'ai accroché le diplôme de sage-femme délivré à Vienne en 1905 à ma grand-mère, Lena Glickfield Blumenfeld. Tout comme elle aidait les gens à venir au monde, j'aide les mangeurs compulsifs à renaître psychologiquement en leur indiquant le chemin des Outremangeurs Anonymes. Grâce à cette renaissance, vous découvrirez le moyen d'accepter le succès et éviterez de succomber à vos erreurs passées. Vous étiez comme ce poussin qui ne savait que faire. Dans votre nouvelle vie, vous aurez des ailes!

DEVENIR ADULTE

La crainte d'aller de l'avant, d'accepter le succès et toutes les joies qui en découlent, n'est que le reflet d'une peur plus profonde: celle de grandir et d'avoir à quitter la maison. Si vous cessez réellement d'être malade et commencez à prendre soin de vous et de votre nouvelle vie, avec l'aide des O.A., cela implique que vous deviendrez responsable de vos actes. Vous devrez donc mettre un terme à tous les comportements acquis depuis l'enfance. Le codépendant – que ce soit véritablement votre mère, ou n'importe quel conjoint ou ami qui en tient lieu – devra se trouver une autre tâche à partir du moment où le mangeur compulsif sera sur le chemin du rétablissement. Quand vous accepterez de faire tout ce qu'il faut pour cesser de manger de manière désordonnée, il vous faudra renoncer à vos vieilles habitudes.

Ce n'est pas par hasard si nous assistons aujourd'hui à une véritable épidémie de troubles alimentaires. Les adolescents sont soumis à tant de messages contradictoires les incitant à prendre leurs responsabilités et, en même temps, à rester dépendants et irresponsables. Le trouble alimentaire est la nouvelle méthode pour permettre de prolonger l'enfance et de ne pas quitter le foyer. Ceux qui ne s'adonnent pas aux drogues dures trouvent dans la nourriture une drogue douce de choix. C'est une façon d'éviter d'avoir à grandir.

Cependant la relation la plus difficile à redéfinir, c'est celle qui unit une fille à sa mère.

UN FILS RESTE UN FILS JUSQU'À CE QU'IL SE MARIE, MAIS UNE FILLE RESTE UNE FILLE TOUTE SA VIE

Au cours des dernières années, on a publié un grand nombre d'ouvrages étudiant la lutte que livrent une fille et sa mère pour se séparer et se retrouver à égalité.

Beaucoup de filles M.C. sont confrontées à une lutte que leurs parents n'ont pas négociée au mieux. Poussées par le père à réussir et à faire sa fierté, elles reçoivent de la mère un message disant que si elles ne restent pas au foyer, elles exercent leur choix à son encontre et au détriment de ses valeurs. Face à une fille qui s'efforce de gagner son approbation, la mère se sent pourtant vaincue, rejetée et ne l'approuve en rien. Cela devient une bataille perdue.

« Lorsque je commençai à pousser dans une direction différente, lorsque je quittai le foyer de ma mère, en devenant indépendante, le fait d'admettre l'amour et l'admiration que j'avais pour elle aurait impliqué l'acceptation de croyances et d'attitudes que je jugeai pernicieuses pour ma vie... Tant qu'elle vécut je combattis son influence et elle tenta d'abattre en moi la femme qui l'avait destituée. »

– Anaïs Nin, *Le Journal d'Anaïs Nin*

Lorsqu'une fille grandit en se sentant sûre d'elle, elle finit par attirer l'attention d'un garçon qu'elle épouse pour fonder un nouveau foyer loin de sa mère. Toute une nouvelle génération de jeunes femmes fait à cette occasion l'apprentissage de nombreux conflits. En restant obèses, elles n'attirent pas les garçons et ne jouent pas le jeu.

Les désordres alimentaires de l'adolescente signalent donc son incapacité future à quitter le foyer. Elle hésite entre l'indépendance et le fait d'être dorlotée à la maison. Elle continue à s'accrocher émotionnellement à sa mère en refusant d'évoluer psychologiquement. Cet «attachement au foyer» se manifeste même lorsque les deux habitent à des milliers de kilomètres de distance.

Tant qu'une fille continue à vivre sa vie en fonction de sa mère plus que pour elle-même, elle persiste à demeurer au foyer.

Une nommée Mandy me dit un jour: «Je n'irai pas aux O.A. Je les ai entendus parler et je sais qu'ils cherchent à briser mon mariage.»

Son mariage survécut en effet tant qu'elle garda ses 160 kilos. C'était son second mariage. Son premier mari avait été arrêté pour ivresse au volant à trois reprises et refusait à la fois de travailler et de suivre une cure de désintoxication. Colette, la mère de Mandy qui réglait toutes les dettes, finança le divorce. Elle paya aussi 3000 $ pour une opération destinée à poser un anneau gastrique à sa fille, ce qui devait lui sauver la vie et lui assurer un nouveau départ.

Redescendue à 75 kilos, Mandy se remaria. Elle et sa mère passaient le plus clair de leur temps ensemble tandis que Ned, le nouveau mari, s'acharnait au travail. Profitant de son salaire, la fille et la mère faisaient du shopping. Elles décidèrent ensemble que Mandy devait avoir un bébé. Or, Ned, déjà père de deux garçons, ne voulait plus d'enfants. Mais les deux femmes voulaient pouponner et pensaient également qu'un nouveau-né attacherait

Ned à son foyer. Mandy se disait en outre qu'une grossesse viendrait à point pour dissimuler son embonpoint qui réapparaissait.

Sans tenir compte des protestations de Ned, elle arrêta en secret de prendre la pilule et accoucha, un an plus tard, d'un petit Jeffrey. Elle avait également retrouvé ses 160 kilos. Mandy et sa mère ne cessaient de s'occuper du nouveau-né et de «parler régime». Jeffrey, comme s'il se savait rejeté par son père, grandit et devint un petit garçon enragé et hyperactif. Mandy, toujours très proche de sa mère, ne cessait de s'empiffrer.

C'est à ce stade que je lui proposai les O.A., qu'elle refusa pour «sauver son mariage».

En fait, ce n'était plus qu'un symbole. Mandy vivait selon un scénario qu'elle avait rédigé avec la complicité de sa mère et où Ned n'avait pas de place. N'importe quel homme aurait aussi bien fait l'affaire. Ned et son fils en étaient tous deux conscients. La seule relation significative dans cette famille liait Mandy à sa mère. Elles se voyaient tous les jours et partageaient une totale intimité. Chacune était au courant du moindre détail, du moindre agissement, même les plus intimes. Le père et le fils n'étaient plus que des pions dans ce jeu de dames!

Cette équipe mère-fille était cependant loin de reconnaître les faits. Elles parlaient au contraire de domination masculine et du rôle des femmes considérées comme des victimes attachées au foyer. Cette façon de se poser en tant que martyres ne manquait pas de les rapprocher encore plus. En fait, émotionnellement, les hommes avaient déserté depuis longtemps.

Puis, un hiver, Colette partit pour une croisière, laissant sa fille à la maison en compagnie de son mari et de son fils.

À peine une semaine s'était-elle écoulée que Mandy m'appela en pleurs et assista illico à une séance des Outremangeurs Anonymes. Elle jura vouloir en finir avec son problème de poids.

Deux semaines plus tard, le couple participa à une thérapie familiale. Mais Jeffrey devenait de plus en plus infernal et, en l'absence de la grand-mère, le couple se trouvait confronté au face-à-face. Le petit Jeffrey fournissait alors une diversion en aggravant son comportement.

Lorsque la croisière s'acheva et que la grand-mère revint à la maison, Mandy cessa de se rendre aux réunions des O.A. et annula son rendez-vous suivant en thérapie. «Ils veulent briser mon mariage.» En fait, il restait bien peu à briser : Ned travaillait et se plaignait; Mandy mangeait et se plaignait; Jeffrey tapait dans les murs et se plaignait.

La relation qui devait être brisée était celle unissant la mère et la fille. Cette promiscuité excessive mettait le mariage en péril et cachait la vie de Mandy. Au lieu de négocier cette séparation, Mandy et Colette trouvèrent une autre solution : Colette paya une nouvelle intervention chirurgicale, cette fois-ci une réduction de l'estomac. Mandy perdit du poids et l'état de Jeffrey s'aggrava.

Nous devons attendre de voir ce qui se passera quand son poids sera descendu et son moral amélioré. Trouvera-t-elle un moyen de vivre sa vie ou reprendra-t-elle ses kilos en s'inventant un autre problème pour rester proche de sa mère. Si elle n'accepte pas la douleur de la séparation, Mandy devra continuer à souffrir pour rester à la maison.

Avec l'aide des O.A., vous trouverez un moyen de rester proche de votre mère tout en n'étant plus boulimique. Vous apprendrez à demander de l'amour au lieu de vous jeter sur la nourriture.

Elvira avait toujours eu des relations parfaites avec sa mère, surtout depuis la naissance de son bébé et la prise des 50 derniers kilos sur les 165 qu'elle totalisait. La mère et la fille n'avaient même jamais été aussi proches que depuis qu'elles partageaient ce problème de l'éducation du bébé.

Peu après cette naissance, Natalie, la jeune sœur d'Elvira, cessa de fumer. Comparée à Elvira, «la bonne petite fille sage», Natalie avait toujours été turbulente et quand elle cessa de fumer, sa rage remonta à la surface. Elle se mit à crier et à se disputer avec sa mère tous les jours.

Pour adoucir cette situation pénible, Elvira essaya de se montrer encore «meilleure petite fille» afin que sa maman ne souffre pas. Chaque jour, elle venait la voir avec son nouveau-né, s'arrêtant préalablement à l'épicerie pour préparer sa visite. Chaque matin, elle arrivait ainsi avec de la crème glacée, des pistaches, du pop-corn, des petits pains et toutes sortes d'aliments.

Grâce à cela, elle devint la médiatrice de la famille. En occupant sa mère dans la cuisine, elle la mettait hors d'atteinte de Natalie. Maman cuisinait, Elvira mangeait. En bonne médiatrice, elle savait raconter une blague ou dévier une phrase pour éviter que les deux femmes ne se chamaillent. Quand elle se sentait fatiguée ou ne savait pas quoi dire, elle mangeait.

Le système fonctionna jusqu'à ce qu'Elvira entreprenne un régime. Avec un programme alimentaire précis, les visites quotidiennes devinrent plus difficiles. Elvira n'arrivait plus à écouter les jérémiades de sa mère et de sa sœur. Elle ne pouvait plus plaisanter quand les deux autres étaient fâchées. Étant au régime, elle devint plus réservée.

Un jour, elle dut demander à sa mère une chose nouvelle:

La mère: Que se passe-t-il? Tu restes assise sans rien dire à présent?

Elvira: Je me sens un peu à vif depuis que je mange moins.

La mère: (Qui regrette, en fait, le bon temps où sa fille mangeait. Se sentant impuissante à la soulager, elle essaie d'avoir recours à un vieux remède familial éprouvé depuis longtemps.) – Je pense que tu fais des efforts trop rapides et trop importants. Pourquoi ne manges-tu pas un petit peu. Tu te sentirais

	mieux. J'ai lu un article selon lequel il vaut mieux prendre plusieurs petites collations par jour plutôt que trois gros repas principaux. Tiens, goûte un peu de ce ragoût que j'ai préparé, tu n'auras qu'à moins manger au dîner.
Elvira :	Non, je veux vraiment m'en tenir au programme alimentaire auquel je me suis engagée et je ne veux pas grignoter.
La mère :	Mais tu ne me comprends pas. Ce n'est pas du grignotage. Il faut que tu te fasses à l'idée de prendre des petits repas ! Cela te sera moins pénible. Ces réunions des Outremangeurs Anonymes te rendent vraiment odieuse !
Elvira :	Désolée de paraître odieuse et je vois bien que tu ne cherches qu'à m'aider, mais je tiens à suivre les indications qui m'ont été données par mon parrain des O.A.
La mère :	(Se sentant dépassée et menacée.) – Mais qui est ce parrain et qu'y connaît-il ? Est-il seulement médecin ?
Elvira :	Non, maman. C'est une personne qui a traversé les mêmes épreuves et qui m'apprend ce qu'elle a fait pour perdre un peu plus de 90 kilos.
La mère :	Il n'y a pas deux personnes semblables et je ne vois pas pourquoi tu irais écouter cette inconnue. Tu ferais mieux de lire cet article dont je t'ai parlé et de manger comme *je* t'ai toujours appris.

Discuter de la manière dont Elvira *doit* manger est une façon de rester centrées sur la nourriture.

Autrefois, la mère et la fille avaient l'habitude d'échanger des recettes, de cuisiner ensemble et de manger en conversant. Aujourd'hui, il y a un vide. Ce vide peut être comblé par une discussion sur le régime. Mais Elvira, qui ne veut à aucun prix parler d'alimentation, cherche à minimiser l'importance de la nourriture dans sa vie. À part ce sujet, y a-t-il d'autres discussions possibles avec sa mère ?

Elvira : Je te remercie de te soucier de moi. Mais je cherche vraiment à trouver *un* programme et à m'y fier. Je sais qu'il existe un million de bonnes idées, mais j'ai trouvé la mienne et je veux y rester fidèle quelle qu'elle soit. En attendant, maman, parlons d'autre chose. Je préfère éviter autant que possible ces conversations sur la nourriture.

La mère : (Après un long silence...) – Alors de quoi veux-tu que nous parlions ?

Elvira : (Également très calme, elle réalise que c'est elle qui, autrefois, orientait ainsi la discussion familiale.) – Je l'ignore, maman. Peut-être n'ai-je envie que d'un peu de calme. Attendons, nous verrons bien.

La mère : (Inquiète depuis que son autre fille ne cesse de s'emporter contre elle.) – J'aurais aimé que tu prennes quelque chose. Je suis sûre que tu te serais sentie mieux. C'est mon plus cher désir.

Elvira : (Sentant le besoin de redonner de l'assurance à sa mère.) – Merci, maman. Je sais que tu m'aimes. Mais, pour l'instant, je n'aspire qu'au calme et je ne désire pas prendre de nourriture. Je crois que je rentrerai chez moi un peu plus tôt aujourd'hui. Je t'aime et j'ai beaucoup d'estime pour toi. Je préfère qu'on s'embrasse plutôt que tu me serves de ton ragoût.

Depuis qu'Elvira est mariée, sa mère ne la cajole plus que rarement. Elle se sent très proche d'elle mais elle ne veut pas l'étouffer. Quand Elvira a quitté la maison pour se marier, sa mère, s'imaginant que le moment était venu de «couper le cordon», a décidé de ne plus la prendre dans ses bras. Sa tête le lui commandait. Pourtant ses bras mouraient d'envie de serrer sa «petite fille» et elle lui offrait de la nourriture à la place. Cette nourriture offerte était un moyen de se mettre «dans la peau» de sa fille au sens littéral.

Pour la mère, le refus de manger d'Elvira était comme si elle la refusait. Et voilà qu'elle demandait à être embrassée plutôt que de se faire servir un morceau de viande!

La mère la prit contre elle et pleura en la tenant serrée. Des larmes de joie coulaient sur ses joues. Elvira n'aurait pas mangé une bouchée même si sa vie en avait dépendu: elle recevait tout ce qu'elle désirait en étant dans les bras de sa mère.

C'est dur de pleurer et de manger en même temps! Qui aurait besoin de manger quand on l'embrasse tendrement?

DES MENTORS QUI MENACENT

Les femmes qui quittent leur maison et leur cuisine recréent souvent cette relation de dépendance mère-fille au sein de leur travail. Même si elles semblent rejeter leur mère, beaucoup ne se sont donné ce mal de la séparation que pour mieux recréer la situation au bureau. La vraie séparation se fait en douceur. Mère et fille doivent se quitter comme deux bonnes amies.

La boulimique type qui vomit est âgée de vingt-cinq à trente ans. Attirante, elle connaît une belle réussite et fait carrière dans un «monde d'hommes». Bien qu'apparemment sûre d'elle et confiante, elle prend garde à ne pas transformer cela en menace pour les autres. C'est sa relation secrète avec la nourriture, à la maison, qui permet à cette victime type de ne pas devenir trop menaçante ni de voler trop haut.

Wanda était conférencière en technique de management. Le public et ses collègues la respectaient et appréciaient son expérience, mais elle se détestait et pesait 50 kilos de trop. Au fond d'elle-même, elle pensait: «Si j'ai une si bonne technique du management, pourquoi suis-je incapable de me prendre en main moi-même?» Sûre que les autres en pensaient autant, elle était persuadée que son succès reposait sur une duperie. Elle serait bientôt découverte et ne pourrait rien répliquer pour se disculper. Malgré les compliments professionnels, Wanda ne se sentait bonne à rien. Cette attitude la maintenait grosse.

Le surpoids indique que quelque chose ne va pas. C'est une manière de dire aux autres: «Avant de penser que j'agis de façon rationnelle, tenez compte de cette énorme masse corporelle et vous verrez combien je souffre.»

Wanda ne voulait pas montrer aux autres sa véritable compétence professionnelle, car elle n'y croyait pas elle-même! Aussi longtemps qu'elle conservait son surpoids, elle pouvait refuser de vivre en refusant d'utiliser tout son potentiel. (Après avoir maigri, elle en riait elle-même en disant: «Mon potentiel a failli me tuer!»)

Comme elle se pensait inefficace, Wanda passa des années à douter de ses capacités professionnelles et resta longtemps en thérapie avant de se rétablir.

Elle avait besoin d'encouragements constants pour pouvoir travailler.

Avant d'organiser ses séminaires de formation, elle écoutait ceux des autres pour comparer. Pendant des années, elle resta en contact avec un ancien professeur, une sorte de gourou, qui possédait «toutes les réponses». Elle dépendait de ce docteur Gordon, homme doté d'une forte personnalité qui exprimait ses idées avec assurance. Acceptant facilement ses opinions, elle rejetait les siennes lorsqu'elles étaient différentes. Elle avait toujours besoin d'être rassurée que tout allait correctement. Cette relation se passait bien: le docteur Gordon adorait les étudiants inquiets qui le pressaient de questions et demandaient son opinion.

Cette relation en symbiose fonctionnait bien et tout le monde en bénéficiait. Cependant Wanda restait grosse.

En maigrissant, elle reprit confiance en elle et en ses propres idées dont beaucoup divergeaient de celles du docteur Gordon. Elle commença à trouver les réponses à l'emporte-pièce de son professeur faciles et trop superficielles. Préférant des analyses plus complexes, plus réfléchies, elle découvrit qu'elle possédait une expérience professionnelle différente.

Ces changements affectèrent leur relation, et quand le docteur Gordon voulut lui donner un conseil, elle se rebella en le traitant de paternaliste arrogant. Ce fut un choc! Il avait continué à assumer ses responsabilités envers elle comme par le passé. Alors qu'elle avait adoré ses conseils, Wanda ne les désirait plus.

Dès qu'elle fut sur le chemin de la guérison, Wanda ne fut plus freinée par son poids. Elle prit le risque d'être elle-même et de se battre pour ses opinions. Elle avait besoin à présent de collègues à égalité et non plus d'un père. Le docteur Gordon se sentit abandonné et inutile. C'était vrai: on n'avait plus besoin de lui. Il trouva Wanda insolente et égoïste. Beaucoup de chaudes disputes s'ensuivirent. L'étudiante peu assurée qui avait porté aux nues ses conseils se rebellait et se débrouillait désormais sans lui.

Ces deux personnes, bourrées de talent pour aider les autres, avaient besoin d'aide pour renégocier leur relation.

Grâce aux réunions des O.A., Wanda trouva un moyen d'assurer son professeur de son affectueuse admiration, tout en se séparant de lui pour grandir. Chez les O.A., elle fut encouragée à prendre en main la situation afin de se sentir bien tout en le quittant. Tout irait parfaitement si elle était sûre de ne faire de mal ni à elle ni aux autres. Mais, en cas d'échec, elle recommencerait à trop manger et continuerait son jeu malhonnête, prétendant être inefficace et avoir besoin d'aide. Ce qui n'était plus vrai.

Wanda découvrit qu'en tant que personne qui changeait, elle devait endosser à la fois la responsabilité de ses sentiments et de ceux du docteur. Lorsqu'elle n'était qu'une «petite fille», elle ne lui devait rien que de l'admiration. («Rien n'est meilleur qu'un repas gratuit!»)

Maintenant qu'elle se sentait adulte et sûre d'elle, elle devait prendre en compte le fait que sa conduite affecterait le docteur Gordon. Elle devait comprendre sa force et, bien que tremblante et effrayée, elle devait penser à l'autre. Par-dessus tout elle devait attendre d'avoir retrouvé une véritable affection à son égard afin de lui montrer son admiration, tout en pratiquant la rupture.

Elle avait appris en réunion que «l'amour sans honnêteté n'est que de la sentimentalité, mais l'honnêteté sans amour n'est que de la brutalité». À tout prix, elle devait éviter d'être brutale. Si elle se sentait coupable, elle se punirait plus tard avec de la nourriture. Elle lui écrivit donc la lettre suivante:

Cher docteur Gordon,

Je me sens triste de devoir renoncer à un professeur tel que vous. J'ai bien évidemment du mal à abandonner le sentiment d'avoir besoin de vous. J'ai toujours profondément admiré vos trésors de sagesse et vos réponses avisées aux questions complexes.

Vous m'avez trop bien appris les choses! Cela m'a donné de la valeur professionnelle. Vous m'avez enseigné, par-dessus tout, à avoir confiance en mes propres jugements. Quand je n'avais pas du tout confiance en moi, j'avais du mal à vous croire. Mon opinion ne pouvait pas être bonne. Ayant bien trop peur de prendre le risque de penser par moi-même, j'avais besoin que vous soyez là pour pallier mes manques.

Mais je veux à présent me fier à mon jugement. J'ai l'impression de sortir d'un tunnel de souffrance et de faire face à la vraie vie. Je me sens une personne normale et saine et les autres me traitent comme telle. Je me sens désormais confiante et en sécurité.

J'ai apprécié que vous placiez votre confiance en moi à une période où j'étais incapable de le faire. Comme on dit aux

Outremangeurs Anonymes : « Nous allons vous aimer jusqu'à ce que vous puissiez vous aimer vous-même. » Je n'aurais pas pu tenir aussi longtemps sans l'aide et l'orientation que vous me donniez en y croyant pour moi.

Merci de m'avoir tant appris et de m'avoir insufflé tant de bien-être. Vous connaissez la phrase : « Donne un poisson à un homme, il aura à manger ce jour-là. Apprends-lui à pêcher, il mangera toute sa vie. » Vous m'avez appris. Mon devoir sera d'en faire autant pour les autres. L'océan est assez vaste pour nous tous.

Bonne pêche !

Après avoir reçu cette lettre, le docteur Gordon vint, rapidement et sans se faire connaître, assister à un séminaire de formation de Wanda. Il vit clairement ce qu'elle avait appris de lui, mais aussi ce qu'elle avait développé par elle-même. Il lui envoya plus tard une petite carte :

La pomme ne tombe jamais bien loin du pommier. Vos idées sont bonnes même si vous les avez trouvées vous-même. Je suis fier de vous, ma fille.

Tous deux travaillent maintenant dans la même faculté. Ils présentent des points de vue tantôt identiques tantôt divergents. Ce qui importe, c'est qu'ils se respectent mutuellement sur une base d'égalité et de réalité. Ils ne jouent plus au papa et à la petite fille. Ils ont, au contraire, à apprendre l'un de l'autre. La différence est excitante, pas menaçante.

S'ENVOLER FAIT PEUR

Cela ne prit pas la même direction pour Brenda. Cette agente immobilière réussissait si parfaitement que, pendant trois mois d'affilée, elle vendit plus que son directeur. Tout le temps perdu à s'empiffrer était à présent utilisé à accomplir des heures supplémentaires pour les clients.

Bien que la boulimie de travail ne soit souvent qu'un transfert de dépendance pour la personne qui débute sur le chemin de la guérison, Brenda avait besoin de cette diversion pour ne pas manger.

Mais, pour son patron, cette réussite constituait une menace. Après quatre mois de régime, de confiance en soi, de prise de responsabilités et une perte de 25 kilos, Brenda fut mise à la porte! Son patron lui dit qu'il n'aimait pas son attitude et que ses réussites nuisaient à la force de vente en intimidant les autres. On ne lui offrait pas le choix : se minimiser, travailler en dessous de ses capacités et ne plus faire peur à personne.

Cependant, cette forme de travail réduit aurait été un mensonge. En vivant malhonnêtement, elle serait retournée vers la boulimie. Brenda choisit donc de perdre son travail.

Ayant mis un peu d'argent de côté au cours des mois précédents, elle put attendre un autre emploi. Elle savait que, si elle n'était plus soumise à des crises de boulimie, de nouvelles portes s'ouvriraient. Lorsqu'on agit en accord avec soi-même, on attire ce qu'on mérite véritablement.

Ce qui peut, à première vue, paraître un échec permet parfois de prendre un meilleur envol. Le nouveau travail de Brenda, dans une compagnie plus prestigieuse, la mit en contact avec une clientèle plus aisée, achetant des propriétés de luxe. Elle évolua parce qu'elle n'avait plus peur du succès. Les Chinois disent : « Seuls les petits poissons nagent en eau peu profonde. »

PAS DE QUARTIER!

Cette fois vous ne pourrez plus reculer. Vous avez coupé les ponts. Quand vous abordez le stress du succès et coupez les liens qui vous attachent à votre ancien mode de vie erroné, vous devez suivre le flot dans le sens du courant.

Certains se plaignent : « C'est un vaste projet! J'aurai quatre-vingts ans avant d'en avoir terminé. » Qu'avez-vous donc d'autre à faire? Vous finirez bien par atteindre quatre-vingts ans de toute façon! Pendant tout ce temps, on vous offre la chance de vivre d'une autre manière. Vous avez déjà été mourant. Essayez donc cette fois de vous envoler.

Vous allez offrir une promenade à ce vieux moi, cet enfant gros et souffrant. Chaque fois que vous contrôliez votre nourriture, vous jetiez votre vieille dépouille au loin.

Quel manque de respect! Voilà pourquoi elle tentait de revenir se remettre sur votre dos.

Cette fois, accueillez votre ancien moi dans votre nouvelle vie avec amour et respect. Après tout, ce pauvre petit enfant a traversé avec vous bien des périodes de détresse. C'est lui qui vous a conduit au seuil de votre nouvelle vie. Il ne peut pas être si mauvais. Lui aussi a le droit d'avoir une chance de s'envoler.

En avançant dans le programme des Outremangeurs Anonymes, vous serez encouragé à travailler avec les nouveaux. Vous les aiderez à obtenir la sérénité. Vous deviendrez peut-être un «parrain» ou une «marraine» pour guider un débutant en lui servant de parent.

L'essence de cette action est de guérir les blessures de son enfance. Chaque fois que vous offrirez de l'écoute et de l'aide à un nouveau, vous vous ménagerez une chance de donner à votre propre «petit enfant qui souffre» ce qui lui a manqué. De cette manière, vous deviendrez votre parent et vous accueillerez votre ancien moi dans votre nouvelle vie.

Vous devez le laisser se reposer calmement, l'entourant de votre amour. Ainsi il ne se réveillera pas et ne s'effraiera pas à l'idée de voler de ses propres ailes.

Avec une telle bienvenue, votre moi souffrant ne vous dévorera pas durant votre cheminement vers un rétablissement. Au contraire, vous joindrez vos forces. Il ne faut pas jeter le bébé avec l'eau du bain. Additionnez les forces qui vous ont aidé à vivre par le passé avec les nouvelles forces que vous puiserez aux Outremangeurs Anonymes.

Quelle combinaison gagnante !

Bonne chance ! Tous mes vœux vous accompagnent...

Autres ouvrages offerts
chez Béliveau Éditeur

Manger ses émotions

**La suralimentation
est le signe extérieur
d'un malaise plus profond**

Nous sommes blessés intérieure-ment et aussi longtemps que nous n'aurons pas compris, accepté et surmonté les causes de cette bles-sure, tous les régimes amaigrissants n'apporteront que des résultats tem-poraires.

Pour rompre avec la honte et l'impuissance qui résultent d'une piètre estime de soi, il faut entamer un processus de transformation émotionnelle et spirituelle. L'embonpoint n'est que le symptôme apparent d'un mal-être qui nous dicte ce comportement abusif.

Ce livre offre une interprétation du Programme Douze Étapes, longtemps attendu par ceux et celles qui luttent sans cesse avec le double problème de la suralimentation et de l'embonpoint.

Si nous nous sentons bien avec nous-mêmes, nous serons minces, nous dit l'auteur. *Nous ne pouvons abuser de notre corps en outre-mangeant si nous avons du respect pour nous.*

– Un livre Hazelden

S'aimer pour maigrir et non maigrir pour s'aimer

L'incroyable parcours d'une femme ayant perdu 150 livres (68 kilos)

Ayant connu l'obésité les 29 premières années de sa vie, **Stéphanie Moranville** décide un jour de remédier à la situation en effectuant une reconstruction d'elle-même par une thérapie et un changement complet de ses habitudes de vie.

Ce livre relate son parcours, ses souffrances, ses pensées, ses éléments déclencheurs, ses démarches, ses erreurs ainsi que ses grandes victoires.

L'auteure présente une méthode simple et efficace afin de vous motiver à retrouver la confiance et l'estime de soi nécessaires pour effectuer les démarches concluantes vers le but, celui qui vous donne la motivation pour le reste de votre vie, qui vous permet de vous surpasser et qui vous donne le coup d'envoi vers vos prochains objectifs.

Manger de façon réfléchie

Développer et savourer une relation équilibrée avec la nourriture

Issus de pratiques bouddhistes, les exercices de ce livre innovateur développeront l'acceptation et la conscience de vos comportements face à la nourriture.

Vous y trouverez des explications, étape par étape, et des exercices de méditation qui favorisent la prise de conscience de vos habitudes alimentaires. La pratique de ces exercices brefs et simples vous apprend à ne pas porter de jugement sur votre relation à la nourriture, au poids et à la santé.

– **Susan Albers, D.Psy.,**
diplômée de l'Université de Denver